D0292739

Moi Nojoud,
10 ans, divorcée

NOJOUD
ALI

AVEC LA COLLABORATION DE DELPHINE MINOUI

Moi, Nojoud, 10 ans, divorcée

TÉMOIGNAGE

Nojoud,
héroïne contemporaine

Il était une fois une contrée magique aux légendes aussi incroyables que ses maisons en forme de morceaux de pain d'épice, décorées par de petits traits fins qui ressemblent à des lignes de sucre glace. Un pays situé à l'extrême sud de la péninsule arabique, au contact de la mer Rouge et de l'océan Indien. Un pays pétri d'une histoire millénaire, aux tourelles de torchis perchées sur les crêtes de montagnes plissées. Un pays où l'odeur d'encens flotte gaiement au détour des ruelles pavées.

Cette contrée s'appelle le Yémen.

Mais, il y a très longtemps, les grandes personnes décidèrent de la surnommer l'Arabie heureuse – *Arabia Felix*.

Car le Yémen fait rêver. C'est le royaume de la reine de Saba, une femme incroyablement belle et robuste qui brûla le cœur du roi Salomon, et dont on peut trouver la trace dans les livres sacrés de la Bible et du Coran. C'est un territoire mystérieux, où les hommes ne sortent jamais sans leur couteau recourbé, accroché fièrement à leur ceinture, et où les femmes cachent leur beauté derrière d'épais voiles noirs. C'est un pays qui se situe sur l'ancienne route commerciale et que traversaient les caravanes des marchands d'aromates, de cannelle et d'étoffes. Leur voyage durait des semaines, parfois des mois. Qu'il pleuve ou qu'il vente, ils ne s'arrêtaient jamais.

On raconte que les moins résistants ne rentraient jamais chez eux.

Pour dessiner le Yémen, il faut imaginer un territoire un peu plus grand que la Grèce, le Népal et la Syrie réunis en un bloc, et qui pique du nez dans le golfe d'Aden. Là-bas, dans ces eaux mouvementées, les pirates au long cours guettent les cargaisons qui transitent entre l'Inde, l'Afrique, l'Amérique et l'Europe…

Au fil des siècles, de nombreux envahisseurs ne purent résister à la tentation de s'emparer de ce beau pays. Les Éthiopiens y débarquèrent armés de leurs arcs et de leurs flèches, mais ils furent vite chassés. Vinrent alors les Perses, avec leurs sourcils épais, qui y construisirent des canaux et des forteresses et recrutèrent certaines tribus pour combattre d'autres envahisseurs. Puis les Portugais y tentèrent leur chance en y établissant des comptoirs. Les Ottomans prirent ensuite la relève et s'emparèrent du pays pendant plus de cent ans. Plus tard, les Britanniques à la peau blanche firent escale au sud, à Aden, tandis que les Turcs s'installèrent au nord. Et puis, une fois les Anglais partis, les Russes au sang froid s'intéressèrent à leur tour au Sud. Comme un gâteau que se disputent les enfants trop gourmands, le pays se scinda progressivement en deux.

Les grandes personnes racontent que si cette Arabie heureuse a toujours été tant convoitée, c'est parce qu'elle recèle mille et un trésors. Son pétrole fait saliver les étrangers. Son miel vaut de l'or. Sa musique est envoûtante. Sa poésie est douce et raffinée. Sa cuisine épicée se savoure sans faim. L'architecture de ses vestiges attire les archéologues du monde entier.

Cela fait des années et des années maintenant que les envahisseurs ont fait leurs valises. Mais, depuis leur départ, le Yémen s'est enfoncé dans une série de guerres civiles trop compliquées pour les livres d'enfants. Unifié en 1990, il souffre encore des blessures laissées par ces multiples conflits. Comme un vieil homme malade en pleine convalescence, qui a perdu ses repères et qui essaye d'apprendre à nouveau à marcher. D'ailleurs, on finit parfois par se demander qui fait la loi dans cet étrange pays, où de nombreux garçons et filles mendient dans la rue au lieu d'aller à l'école.

Au sommet du pouvoir se trouve un président dont la photo décore souvent les devantures des boutiques. Mais le Yémen, ce sont aussi des chefs de tribu avec des turbans sur la tête qui font la pluie et le beau temps dans les villages. Qu'il s'agisse de vente d'armes, de mariage ou de la culture du *qat*[1], ils veulent souvent avoir le dernier mot. Il paraît même qu'ils peuvent se fâcher très fort si quelqu'un refuse de les écouter. Il y a également ces explosions dans les quartiers chic de Sanaa où habitent les représentants des pays étrangers, qui conduisent de grosses voitures aux vitres noires. On dit que ce sont des hommes très religieux à la barbe longue qui sont derrière ces attaques. Au nom d'Allah ! Et puis, dans les maisons, la vraie loi, c'est celle des pères et des grands frères...

C'est dans ce pays à la fois extraordinaire et tourmenté qu'une petite fille prénommée Nojoud vit le jour, il y a à peine dix ans.

Haute comme trois pommes, Nojoud n'est ni une reine, ni une princesse. C'est une fille normale, avec des parents et plein de petits frères et sœurs. Comme tous les enfants de son âge, elle adore jouer à cache-cache et elle raffole de chocolat. Elle aime faire des

---

1. Consommé selon un rituel social ancestral, le *qat* est une herbe euphorisante qui permet d'oublier faim et fatigue. Interdit dans de nombreux pays, où il est classé dans la catégorie des stupéfiants, il est en vente libre au Yémen et constitue même la principale production de l'agriculture du pays.

dessins colorés et rêve de ressembler à une tortue d'eau, car elle n'a jamais vu la mer. Quand elle sourit, une petite fossette se forme sur sa joue gauche.

Mais, un soir froid et gris de février 2008, ce joli regard malicieux disparut soudainement derrière de grosses larmes lorsque son père lui annonça qu'elle allait épouser un homme trois fois plus âgé qu'elle. C'était comme si la terre entière s'était écroulée sur ses épaules. Mariée à la va-vite quelques jours plus tard, la petite fille décida alors de rassembler ses dernières forces pour tenter de faire basculer son malheureux destin…

Delphine MINOUI

1.
Au tribunal

2 avril 2008

J'ai la tête qui tourne. Je n'ai jamais vu autant de monde de toute ma vie. Dans la cour qui mène au bâtiment principal du tribunal, une foule s'agite dans tous les sens. Des hommes en costume cravate, avec des tas de dossiers jaunis coincés sous le bras. D'autres habillés d'une *zanna*, la longue tunique traditionnelle que l'on porte dans les villages du nord du Yémen. Et puis, toutes ces femmes qui crient et qui pleurent dans un brouhaha inaudible. J'aimerais pouvoir lire sur leurs lèvres ce qu'elles cherchent à dire, mais leurs *niqab*[1] assortis à leurs longues robes noires ne laissent voir de leurs visages que leurs yeux tout ronds. On dirait des grenades prêtes à exploser. Elles ont l'air furieux, comme si une tornade venait de détruire leur maison. Je tends l'oreille.

De leurs conversations, je n'arrive à saisir que certains mots : « garde d'enfants », « justice », « droits de l'homme »... Je ne sais pas trop ce que cela signifie. Près de moi, un géant aux épaules carrées, un turban plaqué sur les tempes et à la main un sac en

1. Le *niqab* est un voile qui couvre le visage, à l'exception des yeux, et que portent les femmes musulmanes au Yémen et dans d'autres pays du Golfe (Arabie Saoudite, Bahreïn, Qatar...).

plastique rempli de documents, raconte à qui veut bien l'entendre qu'il est venu pour tenter de récupérer les terres qu'on lui a volées. Aïe ! Il a bien failli me rentrer dedans, celui-là, à force de courir comme un lièvre déboussolé.

Quelle pagaille ! Ça me fait penser à la place Al-Qa, celle des ouvriers au chômage, en plein cœur de Sanaa, dont *Aba*[1] parle souvent. Chacun pour soi, c'est au premier qui décroche un boulot pour la journée, dès les premiers rayons du soleil, juste après l'*azan*, l'appel à la prière du matin. Ces gens-là ont tellement faim qu'ils ont une pierre à la place du cœur. Pas le temps de s'apitoyer sur le sort des autres. Pourtant, j'aimerais tant que quelqu'un me prenne par la main, qu'un regard attendri se pose sur moi. Qu'on m'écoute, pour une fois ! En fait, c'est comme si j'étais invisible. Personne ne me voit. Je suis trop petite pour eux. Je leur arrive tout juste à la taille. Je n'ai que dix ans, peut-être moins, qui sait ?

Du tribunal, je m'étais fait une image différente, celle d'un endroit calme et propre. La grande maison du Bien contre le Mal, où l'on peut résoudre tous les problèmes de la terre. À la télévision, chez les voisins, j'en avais déjà vu, des tribunaux, avec des juges en robe longue. On dit que ce sont eux qui peuvent aider les gens qui en ont besoin. Il faut que j'en trouve un, pour lui raconter mon histoire. Je suis épuisée. J'ai chaud sous mon voile. J'ai honte et j'ai mal à la tête. Ai-je la force de continuer ? Non. Oui. Peut-être. Trop tard pour faire demi-tour, me dis-je. Le plus dur est passé. Il faut avancer.

En quittant la maison de mes parents, ce matin, je me suis promis de ne pas y remettre les pieds avant

1. « Papa » en arabe.

d'avoir obtenu ce que je voulais. Il était exactement 10 heures.

— Va donc acheter du pain pour le petit déjeuner, m'a dit ma mère en me donnant 150 rials[1].

D'un geste automatique, j'ai noué mes longs cheveux bruns et bouclés sous mon foulard noir et recouvert mon corps d'un manteau assorti – la tenue des femmes yéménites quand elles sortent dans la rue. J'ai marché, toute tremblotante, pendant quelques mètres, puis j'ai attrapé le premier minibus qui passait sur la grande avenue qui mène au centre-ville. Je suis descendue au terminus. Et j'ai surmonté ma peur en montant toute seule pour la première fois de ma vie dans un taxi jaune.

Dans la cour, l'attente n'en finit pas. À qui m'adresser ? Soudain, je repère au milieu de la foule quelques regards complices inespérés. Là-bas, près de l'escalier qui donne sur l'entrée du grand bâtiment en ciment beige, trois garçons chaussés de sandales en plastique m'examinent des pieds à la tête. Leurs joues sont noircies de poussière. Ils me font penser à mes petits frères.

— Ton poids pour 10 rials ! me lance l'un d'entre eux, en brandissant une vieille balance cabossée.

— Un thé pour te désaltérer ? me propose un autre, en agitant un petit panier rempli de verres fumants.

— Un jus de carotte frais ? suggère le troisième, en décochant son plus beau sourire, tout en tendant sa main droite dans l'espoir d'y récolter une pièce de monnaie.

Non merci, je n'ai pas soif. Ni franchement la tête à vouloir savoir combien je pèse ! Si seulement ils savaient ce qui m'amène ici…

---

1. Cette somme, 150 rials, correspond à environ 60 centimes d'euro (1 euro vaut 258 rials yéménites).

Désemparée, je lève à nouveau la tête en direction de tous ces visages de grands qui s'agitent autour de moi. Avec leurs longs voiles, les femmes se ressemblent toutes. Des ombres noires, plus effrayantes qu'attirantes. Dans quel guêpier me suis-je fourrée ? Tiens, là-bas, je repère un homme en chemise blanche et costume noir qui marche dans ma direction. Un juge, peut-être… ou un avocat ? Allez, je n'ai plus qu'à tenter ma chance.

— Excuse-moi, monsieur, je veux voir le juge !

— Le juge ? C'est par là-bas, après l'escalier, me répond-il en me regardant à peine, avant de disparaître à nouveau dans la foule.

Je n'ai plus le choix. Je dois l'affronter, cet escalier qui se trouve maintenant en face de moi. C'est ma seule et dernière chance de m'en sortir. Je me sens sale. Je dois grimper ces marches, une à une, pour aller raconter mon histoire, traverser cette vague humaine qui grossit au fur et à mesure que je m'approche du grand hall d'entrée. Je manque de tomber. Je me rattrape. Mes yeux sont secs d'avoir trop pleuré. Je n'en peux plus. Mes pieds sont lourds lorsqu'ils se posent, enfin, sur le sol marbré. Je ne dois pas craquer. Pas maintenant.

Sur les murs blancs comme ceux d'un hôpital, je distingue des inscriptions en lettres arabes. J'ai beau faire des efforts, je n'arrive pas à les lire. J'ai été forcée d'arrêter l'école en deuxième année, juste avant que ma vie ne se transforme en cauchemar, et à part mon prénom, Nojoud, je ne sais pas écrire grand-chose. Je suis bien embarrassée. Mon regard finit par se poser sur un groupe d'hommes en uniforme couleur vert olive, un képi vissé sur la tête. Ce sont sûrement des policiers. Ou bien des soldats ? L'un d'entre eux porte une kalachnikov en bandoulière.

Je frissonne. S'ils me voient, ils risquent de m'arrêter. Une petite fille qui s'enfuit de chez elle, ça ne se fait pas. Tremblante, je m'accroche discrètement au premier voile que je vois passer, en espérant retenir l'attention de l'inconnue qui se cache dessous. « Vas-y, Nojoud ! m'intime une petite voix intérieure. Tu es une fille, c'est vrai. Mais tu es aussi une femme ! Une vraie, même si tu as encore du mal à l'accepter. »

— Je veux parler au juge !

Deux grands yeux encadrés de noir me fixent avec étonnement. La dame qui se tient en face de moi ne m'a pas vue arriver.

— Comment ?

— Je veux parler au juge !

Fait-elle exprès de ne pas avoir compris, pour m'ignorer plus facilement, comme les autres ?

— Quel juge cherches-tu ?

— Je veux parler à un juge, c'est tout !

— Mais il y a beaucoup de juges dans ce tribunal...

— Emmenez-moi chez un juge, n'importe lequel !

Elle se tait, surprise par ma détermination. À moins que ce soit mon petit cri perçant qui l'ait tétanisée.

Je suis une simple villageoise qui vit dans la capitale. Je me suis toujours pliée aux ordres des hommes de la famille. Depuis toujours, j'ai appris à dire « oui » à tout. Aujourd'hui, j'ai décidé de dire « non ». Je suis souillée intérieurement. C'est comme si on m'avait volé une partie de moi-même. Personne n'a le droit de m'empêcher d'avoir rendez-vous avec la justice. C'est ma dernière chance. Je n'abandonnerai pas si facilement. Et ce n'est pas ce regard surpris, aussi froid que le marbre du grand hall où l'écho de mon cri s'est mis à résonner étrangement, qui va me faire taire. Midi est passé. Cela fait plus de trois heures que j'erre désespérément dans le labyrinthe de ce tribunal. Je veux voir le juge !

— Suis-moi ! finit-elle par me dire, en me faisant signe de lui emboîter le pas.

La porte s'ouvre sur une pièce feutrée, tapissée au sol d'une moquette brune, et remplie de gens. Au fond, derrière un bureau, un moustachu au visage fin s'affaire à répondre à un déluge de questions dont on le mitraille dans tous les sens. C'est le juge ! Enfin ! L'ambiance est bruyante, mais rassurante. Je me sens en sécurité. Sur le mur principal, je reconnais la photo, encadrée, de « *Amma* Ali », « l'oncle Ali » – c'est ainsi qu'on m'a appris à parler, à l'école, du président de notre pays, Ali Abdallah al-Salih, élu il y a plus de trente ans. Certains disent que c'est un dictateur, d'autres l'accusent de corruption. Moi, peu m'importe, je suis ici pour voir le juge, un point c'est tout.

Je prends place, comme les autres, sur un des fauteuils marron disposés le long du mur. Dehors, le muezzin[1] appelle à la prière de la mi-journée. Autour de moi, j'entraperçois des visages familiers, ou plutôt des yeux familiers, croisés précédemment dans la cour. Certains visages se penchent bizarrement vers moi. Tiens, on a fini par réaliser que j'existe ! Il était temps. Réconfortée, je cale ma tête contre le dossier et j'attends patiemment mon tour.

Si Dieu existe, me dis-je, alors qu'Il vienne me sauver. J'ai toujours fait mes prières, cinq fois par jour. Pendant l'Aïd, la fête de la fin du ramadan, j'ai toujours aidé ma mère et mes sœurs à préparer les plats. Je suis une enfant plutôt sage. Que Dieu ait pitié de moi... Dans ma tête, des images floues se bousculent. Je suis en train de nager dans l'eau. La

1. Le muezzin est la personne qui est chargée de lancer l'appel à la prière, au moins cinq fois par jour, souvent depuis le sommet de la mosquée.

mer est calme. Puis elle commence à s'agiter. Au loin, j'aperçois mon frère Fares, mais je n'arrive pas à l'atteindre. Je l'appelle. Il ne m'entend pas. Je me mets alors à crier son nom. Mais les rafales de vent me font reculer et me projettent en direction de la crique. Je résiste en agitant mes mains comme des hélices. Pas question de me laisser renvoyer à la case départ. Les vagues grondent de plus belle. La crique est si proche maintenant. J'ai perdu de vue Fares. Au secours ! Je ne veux pas retourner à Khardji, non, je ne veux pas y retourner !

— Que puis-je faire pour toi ?

C'est une voix masculine qui me sort de mon demi-sommeil. Elle est étrangement douce. Elle n'a pas eu besoin de s'élever pour attirer mon attention. Elle s'est contentée de chuchoter quelques mots : « Que puis-je faire pour toi »… Enfin quelqu'un qui vient à mon secours. Je me frotte le visage et là, je reconnais le juge à la moustache qui se tient tout droit en face de moi. La foule s'est dissipée, les yeux ont disparu et la pièce est presque vide. Face à mon silence, l'homme reformule sa question :

— Qu'est-ce que tu veux ?

Ma réponse, elle, ne se fait pas attendre :

— Mon divorce !

الموضوع :
التاريخ

2.
Khardji

À Khardji, le village où je suis née, on n'apprend pas aux femmes à choisir. Là-bas, ce sont les hommes qui ont le dernier mot. Vers l'âge de seize ans, Shoya, ma mère, épousa mon père, Ali Mohammad al-Ahdel, sans rechigner. Et lorsque, quatre ans plus tard, il décida d'agrandir la famille en choisissant une seconde épouse, elle se plia docilement aux désirs de son mari. C'est avec la même résignation que j'ai d'abord accepté mon mariage, sans en réaliser l'enjeu. À mon âge, on ne se pose pas trop de questions.

— Comment on fait les bébés ? avais-je un jour innocemment demandé à *Omma*[1].

— Tu verras ça quand tu seras plus grande ! m'avait-elle répondu, en balayant d'un geste de la main ma question.

Je m'étais alors contentée de mettre ma curiosité enfantine au placard et de retourner jouer dans le jardin avec mes frères et sœurs. Notre passe-temps favori, c'était le jeu de cache-cache. La vallée de Wadi La'a, dans le gouvernorat de Hajja, au nord du pays, où je suis née, recelait mille et un refuges dans lesquels nous pouvions facilement nous cacher : les

1. « Maman » en arabe.

troncs d'arbres, les gros rochers, les grottes taillées par le temps. Quand nous étions essoufflés d'avoir trop gambadé, nous plongions la tête la première dans l'herbe fraîche et nous nous laissions dorloter par ce petit nid de verdure. Le soleil en profitait pour venir caresser notre peau et brunir nos joues déjà bien mates. Une fois reposés, nous nous amusions à courir après les poules et à taquiner les ânes avec des tiges de bois.

Ma mère a eu seize enfants. Pour elle, qui souffrit en silence de trois fausses couches, chaque grossesse fut un véritable défi. Elle perdit également un de ses bébés à la naissance. Quatre autres de mes frères et sœurs, que je n'ai pas connus, succombèrent à des maladies faute de médecin. Ils avaient entre deux mois et quatre ans[1].

C'est à la maison qu'elle m'a mise au monde, comme tous ses autres enfants, allongée sur une natte tressée en transpirant, en souffrant le martyre et en priant Dieu pour qu'il protège son nouveau-né.

— Tu as mis longtemps à venir. Les contractions ont commencé en pleine nuit, vers 2 heures du matin. Et l'accouchement a duré une bonne demi-journée, en plein été, sous une chaleur terrible. C'était un vendredi, jour férié, me raconte-t-elle de temps en temps pour assouvir ma curiosité.

Mais si j'étais née un jour de semaine, cela n'aurait pas changé grand-chose. Pour *Omma*, la question d'enfanter à l'hôpital ne s'est jamais posée. Notre village, coincé au fond de la vallée, était bien trop loin de toute infrastructure médicale. Composé au plus de cinq petites maisons en pierre, il ne disposait ni de mairie, ni d'épicerie, ni de garagiste, ni de bar-

1. Au Yémen, les taux de mortalité pendant l'accouchement et de mortalité infantile sont parmi les plus élevés au monde.

bier, ni même de mosquée ! On ne pouvait y accéder qu'à dos de mule. Seuls quelques chauffeurs téméraires de pick-up osaient s'aventurer sur le chemin rocailleux qui glisse le long de la ravine – à condition de changer leurs pneus tous les deux mois, tellement la route est mauvaise. Alors, imaginez les contractions si ma mère avait choisi d'aller à l'hôpital… Elle aurait accouché en pleine nature ! *Omma* dit que même les cliniques mobiles n'ont jamais pris le risque de se déplacer jusqu'à Khardji !

— Mais alors, qui a joué à l'infirmière à la maison ? m'arrive-t-il de demander avec insistance quand *Omma*, fatiguée par mes questions, en oublie de me raconter la fin de l'histoire de mon arrivée sur terre.

— Eh bien, heureusement que ta grande sœur Jamila était là ! Comme toujours, c'est elle qui m'a aidée à couper le cordon, avec un couteau de cuisine. Puis elle t'a donné ton premier bain, avant de t'enrouler dans un tissu. Ton grand-père Jad décida alors de t'appeler Nojoud. On dit que c'est un nom bédouin.

— *Omma*, suis-je née en juin ou en juillet ? Ou bien en plein mois d'août ?

C'est là, en général, qu'*Omma* commence à s'agacer.

— Nojoud, quand est-ce que tu arrêteras de poser toutes ces questions ? me répond-elle toujours pour mettre fin à mes interrogations.

En fait, c'est parce qu'elle n'en a aucune idée. Car ni mon prénom ni mon nom n'apparaissent dans les registres officiels. En province, on fait des bébés à la pelle sans carte d'identité. Quant à mon année de naissance, allez savoir… Par déduction, ma mère dit qu'aujourd'hui je devrais frôler les dix ans. Mais je pourrais aussi bien en avoir huit ou neuf… Face à mon insistance, il lui arrive parfois de se lancer dans un savant calcul, en essayant de reconstituer l'ordre de naissance de ses enfants, en se repérant par rapport aux saisons, aux décès des aïeuls, aux mariages de certains cousins et à nos déménagements. Un véritable exercice d'acrobate !

Ainsi, d'après une comptabilité bien plus compliquée que chez l'épicier, elle finit, chaque fois, par déduire que Jamila est la plus grande de la famille, suivie par Mohammad, le premier garçon – le « second homme » de la maison, celui qui a le pouvoir de décider, juste après mon père. Viennent ensuite Mona la mystérieuse et Fares le fougueux. Puis moi, suivie de ma « préférée », Haïfa, qui fait presque ma taille. Enfin, Morad, Abdo, Assil, Khaled et la petite dernière, Rawdha, aux cheveux tout frisés. Quant à Dowla, ma « tante », la seconde épouse de mon père, qui n'est autre qu'une de ses cousines lointaines, elle a cinq enfants.

— *Omma* est une vraie poule pondeuse ! ricane souvent Mona, quand il lui arrive de vouloir titiller ma mère. Je me souviens de m'être plusieurs fois réveillée le matin en découvrant dans son lit un nouveau-né à couver ! Elle ne s'arrêtera jamais…

Omma a pourtant le souvenir d'avoir reçu, un jour, la visite d'une représentante d'une association qui s'appelle le « planning familial ». On lui prescrivit des comprimés à avaler pour l'empêcher de tomber enceinte, ce qu'elle fit de temps en temps, les jours où elle y pensait. Mais un mois plus tard, à sa grande surprise, son ventre se mit de nouveau à gonfler, et elle se dit que la vie était ainsi faite et que, parfois, on ne pouvait pas aller contre la nature.

Khardji porte bien son nom. En arabe, cela signifie « à l'extérieur ». Autrement dit : à l'autre bout du monde. La plupart des géographes ne prennent même pas la peine de localiser cette microscopique localité sur les cartes. Pour simplifier, on peut dire que Khardji n'est pas trop loin de Hajja, une ville assez connue du nord-ouest du Yémen, au-dessus de Sanaa. Entre cette petite bourgade perdue et la capitale, il faut compter au moins quatre heures de route bitumée et l'équivalent en sable et rocaille. Quand mes frères partaient en cours, le matin, ils en avaient pour deux bonnes heures de marche à pied pour arriver à l'école, située dans un plus grand village de la vallée. La scolarité leur était réservée. Mon père, un homme très protecteur, estimait que les filles étaient trop fragiles et vulnérables pour s'aventurer toutes seules sur ces chemins quasi désertiques où le danger guettait derrière chaque cactus. D'ailleurs, lui et ma mère ne savaient ni lire ni écrire, et aucun des deux n'en voyait vraiment la nécessité pour ses enfants[1].

C'est donc à l'école des champs que j'ai grandi, à regarder *Omma* s'occuper de la maison et à trépigner en voyant mes deux grandes sœurs, Jamila et Mona, partir puiser de l'eau à la source, avec de petits jerrycans jaunes, sans pouvoir encore les suivre. Au Yémen, le climat est tellement sec qu'il faut boire plusieurs litres d'eau par jour pour ne pas se déshydrater. Dès que je me mis à marcher, la rivière fut l'une de mes principales destinations. Située à quelques mètres au-dessous de la maison, elle nous était bien utile. C'est dans son eau claire et limpide qu'*Omma* lavait le linge et rinçait les casseroles après chaque repas. Le matin, une fois les hommes partis aux champs, les femmes venaient y faire leur toilette, à l'ombre des gros arbres. Les jours d'orage, on se réfugiait dans la maison pour se protéger des éclairs et de la pluie. Mais dès que les rayons de soleil refaisaient leur apparition en perçant les nuages, on se précipitait à nouveau vers la rivière, gonflée d'eau,

---

1. Dans les provinces yéménites, plus d'une femme sur deux est illettrée.

qui m'arrivait au cou. Pour éviter que son lit ne déborde, mes frères s'amusaient alors à construire des petits barrages pour détourner son courant. On rigolait bien.

En rentrant de l'école, les garçons ramassaient des branches pour alimenter le feu du *tandour*, le four traditionnel, où l'on cuit le *khobz*, notre pain yéménite. Mes sœurs étaient expertes dans la préparation de ces galettes croustillantes. Parfois, nous les arrosions de miel, « l'or du Yémen » comme disent les grands. Celui de notre région est particulièrement fameux, et mon père disposait de quelques ruches d'abeilles dont il prenait soin avec une étonnante tendresse. *Omma* nous répétait à l'envie que le miel est très bon pour la santé, qu'il donne de l'énergie.

Le soir, le repas se prenait traditionnellement autour du *sofrah*[1], une nappe dressée à même le sol. Dès qu'*Omma* y déposait la grande casserole toute chaude remplie de *salta* – un ragoût de bœuf ou de mouton avec une sauce au fenugrec[2] –, nous nous empressions d'y enfouir nos mains pour confectionner des boulettes de riz et de viande qui disparaissaient vite dans nos bouches. En imitant nos parents, nous avions appris à manger à même les plats. Sans assiette, sans fourchette ni couteau. C'est comme ça qu'on mange, dans les villages du Yémen.

De temps en temps, *Omma* nous emmenait au « marché du samedi » qui se tenait toutes les

1. Dans les pays du monde arabo-musulman, le *sofrah* remplace souvent la table pour prendre les repas.

2. Le fenugrec est une épice aromatique très utilisée au Moyen-Orient. On la trouve également dans la cuisine africaine et indienne.

semaines en plein cœur de la vallée. Pour nous, c'était la grande sortie. On s'y rendait à dos d'âne, et on y faisait les provisions pour les jours à venir. En période de grand soleil, *Omma* posait un chapeau de paille sur son voile noir qui lui couvrait une bonne partie du visage. On aurait dit un tournesol.

Nous vivions des jours plutôt heureux, au rythme du soleil. Une vie simple mais paisible, sans électricité, sans eau courante. Coincées derrière un buisson, les toilettes étaient composées d'un simple trou encadré par de petits murets en brique. À la nuit tombée, le salon principal, décoré simplement de quelques coussins jetés à même le sol, se transformait en chambre à coucher. Pour passer d'une pièce à l'autre, nous devions traverser la cour centrale. Pendant l'été, celle-ci devenait notre lieu principal de vie commune, s'adaptant à tous les besoins de la famille. *Omma* s'y était installé une cuisine en plein air, où elle faisait mijoter ses *saltas* sur le feu de bois, tout en donnant le sein aux plus jeunes. Mes frères y révisaient leur alphabet à l'air frais. Les filles, elles, y faisaient la sieste sur un lit de paille.

Mon père n'était pas souvent à la maison. En général, il se levait dès les premiers rayons du soleil pour aller faire paître son troupeau. Il possédait quatre-vingts moutons et quatre vaches. Ces dernières nous donnaient suffisamment de lait pour faire du beurre, des yaourts et du fromage frais. Quand il partait rendre visite aux villageois d'à côté, il ne sortait pas sans avoir recouvert sa *zanna* d'un veston marron et noué son *jambia* à sa ceinture. On raconte que ce poignard, porté par les hommes de mon pays, bien aiguisé et décoré à la main, est un symbole d'autorité, de virilité et de prestige dans la société yéménite. C'est vrai que ça lui donnait une certaine assurance, un côté chic qui ne passait pas inaperçu. J'étais fière de mon *Aba*. Mais d'après ce que j'ai compris, il s'agit plus d'une arme d'apparat. C'est toujours à celui qui portera le plus beau *jambia*. D'ailleurs, selon que son manche est fait de plastique, d'ivoire ou de véritable corne de rhinocéros, son prix n'est pas le même. D'après les codes de notre culture tribale, il est interdit de l'utiliser pour se défendre par la force ou attaquer son adversaire en cas de dispute. Au contraire, le *jambia* peut servir d'instrument d'arbitrage des conflits. C'est, avant tout, un symbole de justice tribale. Mon père n'aurait jamais pensé avoir besoin d'y recourir, jusqu'à ce jour malheureux qui nous poussa à fuir le village en vingt-quatre heures.

J'avais entre deux et trois ans quand le « scandale » éclata. *Omma* était exceptionnellement partie à la capitale, Sanaa, à cause de problèmes de santé. Pour une raison sûrement liée à cette absence, mais dont les détails m'échappèrent à l'époque, une dispute violente opposa mon père aux autres villageois de Khardji. Dans les conversations, le prénom de Mona, la deuxième fille de la famille, revenait souvent. Il fut alors décidé de résoudre le problème de manière tribale, en posant les *jambias* et des liasses de rials entre les protagonistes. Mais la discussion dégénéra et, fait exceptionnel, les lames tranchantes sortirent de leurs étuis. Les habitants du village accusèrent ma famille d'avoir bafoué l'honneur de Khardji, d'avoir entaché sa réputation. Mon père était hors de lui. Il se sentait floué, dévalorisé devant ceux qu'il pensait être ses amis. Mona fut mariée du jour au lendemain. Elle devait avoir à peine treize ans. Que s'était-il passé au juste ? J'étais trop petite pour comprendre. Mais je le saurai un jour. Nous dûmes prendre la route à la va-vite, en laissant tout derrière nous : les moutons, les vaches, les poules, les abeilles, et les souvenirs de ce que je pensais être un petit coin de paradis.

*
* *

L'arrivée à Sanaa fut pénible. Poussiéreuse, bruyante, la capitale fut difficile à apprivoiser.

Entre la verdure de la vallée de Wadi La'a et la sécheresse de cette ville tentaculaire, le changement fut brutal. Dès qu'on s'éloignait de l'ancien centre-ville et de ses jolies maisons traditionnelles en pisé, aux fenêtres bordées d'un trait blanc qui ressemble à de la dentelle, le paysage urbain se transformait en un grossier enchevêtrement de bâtisses en ciment sans âme. Dans la rue, j'arrivais tout juste à la hauteur des pots d'échappement et les fumées de gasoil m'irritaient la gorge. Rares étaient les jardins publics où nous pouvions aller nous dégourdir les jambes. L'accès à la plupart des parcs d'attractions était payant, donc réservé aux plus riches.

Nous emménageâmes au rez-de-chaussée d'un taudis du quartier Al-Qa, dans une ruelle où s'entassaient les ordures. *Aba* était déprimé. Il parlait peu. Il avait perdu l'appétit. Comment un simple paysan sans diplôme et analphabète pouvait-il espérer nourrir sa famille dans cette capitale qui croulait déjà sous une montagne de chômeurs ? D'autres villageois, avant lui, étaient venus y tenter leur chance et s'étaient heurtés à un mur de difficultés. Certains en étaient réduits à envoyer leurs femmes et leurs enfants mendier quelques pièces de monnaie sur les places publiques. À force de frapper aux portes, mon père finit par décrocher un poste de balayeur à la municipalité locale, qui lui permettait à peine de payer notre loyer. À chaque retard de versement, le propriétaire se fâchait et élevait la voix. *Omma* pleurait. Et personne ne pouvait adoucir sa peine.

À douze ans, Fares, le quatrième de la famille, commença à avoir des envies de garçon de son âge. Tous les jours, il réclamait des sous pour aller s'acheter des bonbons, des pantalons à la mode et de nouveaux souliers comme ceux qu'on voyait sur les photos des panneaux publicitaires. De beaux souliers tout neufs qui coûtaient plus cher qu'un mois de salaire de *Aba* ! De nature à la fois joviale et turbulente, il en demandait toujours plus. Il lui arrivait même de menacer mes parents de faire une fugue s'ils ne parvenaient pas à satisfaire ses caprices. Malgré son côté m'as-tu-vu, il était mon frère préféré. Lui, au moins, il ne me tapait pas, à la différence de Mohammad, le plus grand de mes frères, qui se prenait pour le chef. J'admirais l'ambition de Fares, sa fougue, sa façon de tenir tête à tout le monde sans se soucier des réactions de son entourage. Il faisait des choix et s'y tenait. Quitte à se mettre à dos toute la famille. Un jour, après qu'une dispute l'eut opposé à mon père, il quitta la maison pour de bon et on ne le revit plus.

Pour la première fois de ma vie, je vis *Aba* verser quelques larmes. Pour noyer son chagrin, il se mit à s'absenter de longues heures pour aller mastiquer du *qat* avec de vieilles connaissances. Il finit par perdre son travail. *Omma*, elle, commença à faire des cauchemars. Dans la pièce principale où nous dormions à ses côtés avec mes autres frères et sœurs, sur de petits matelas posés à même le sol, je fus plusieurs fois réveillée en pleine nuit par ses sanglots. Elle souffrait, ça se voyait.

De Fares, il ne restait qu'une toute petite trace : une photo d'identité en couleurs, que Mohammad gardait précieusement, tout au fond de son portefeuille. Sur le cliché, c'était Fares tout craché : la tête droite recouverte d'un turban blanc planté sur ses cheveux bruns et bouclés – histoire, sûrement, de se donner des airs de « grand » –, il fixait l'objectif d'un œil espiègle, plein de malice.

Et puis, deux ans après sa fuite, ce coup de téléphone inattendu, ce premier signe de vie :

— Arabie Saoudite... Tout va bien... Berger... Je travaille comme berger... Ne vous inquiétez pas pour moi..., put-on entendre à l'autre bout du fil.

Sa voix avait mué. Mais je l'ai tout de suite reconnu. Il semblait avoir encore gagné en assurance. Très vite, la ligne, truffée de crépitements, finit par résonner dans le vide. Comment Fares avait-il atterri si loin ? Dans quelle ville, au juste, se trouvait-il ? Avait-il eu la chance de prendre l'avion, de s'envoler, de percer les nuages ? Et l'Arabie Saoudite, ça se trouvait où exactement ? Y avait-il la mer, là où il était ? Les questions se bousculaient dans ma tête. En surprenant une conversation entre mes parents et Mohammad, je crus comprendre que Fares avait fait l'objet d'un trafic d'enfants. On dit que c'est assez fréquent au Yémen[1]. Est-ce que ça voulait dire qu'il avait trouvé des parents adoptifs ? Peut-être qu'il était heureux, après tout, et qu'il pou-

1. Conséquence de la pauvreté qui sévit au Yémen, le trafic d'enfants yéménites en Arabie Saoudite est un fléau touchant les enfants issus de milieux défavorisés qui font l'école buissonnière. Selon certaines organisations non gouvernementales locales, environ 30 % des enfants en âge d'aller à l'école et vivant près de la frontière partent chaque année tenter leur chance en Arabie Saoudite. Leurs conditions de travail y sont extrêmement précaires et, même si le sujet reste tabou dans les familles, des cas d'abus sexuels ont pu être relevés.

vait enfin s'acheter les bonbons et les blue-jeans qu'il voulait tant. Moi, il me manquait terriblement.

Pour combler le vide causé par son absence, je m'enfermais dans mes rêves. Des rêves d'eau ! Pas de rivière, mais d'océan... J'ai toujours voulu ressembler à une tortue pour glisser ma tête sous l'eau. Je n'ai jamais vu la mer. Avec mes crayons de couleur, je dessinais des vagues sur mon petit carnet. Je les imaginais vertes ou bleues.

— Elles sont bleues ! rectifia un jour mon amie Malak en jetant un coup d'œil par-dessus mon épaule.

Malak et moi étions devenues inséparables. Je l'avais rencontrée à l'école du quartier Al-Qa, où mes parents avaient finalement accepté de m'inscrire. Pendant la récréation, on jouait souvent aux billes. Sur les soixante-dix élèves – toutes des filles – qui s'entassaient dans la classe, elle était ma meilleure amie. J'avais réussi avec succès ma première année, et je venais de commencer la deuxième. Le matin, Malak passait me chercher et on partait ensemble à l'école.

— Qu'est-ce que tu en sais ?

— Pendant les vacances, mes parents m'emmènent à Hodeïda. Là-bas, on peut voir la mer, me répondit Malak.

— Quel goût a-t-elle ?

— Elle est salée !

— Et le sable, il est bleu, lui aussi ?

— Non, il est jaune ! Et il est tellement doux, si tu savais...

— Et qu'est-ce qu'on trouve dans la mer ?

— Des bateaux, des poissons, et des gens qui se baignent...

Malak me racontait que là-bas elle avait appris à nager. Pour moi qui n'avais jamais mis les pieds dans une piscine, c'était fascinant. J'avais beau essayer de comprendre comment elle parvenait à se maintenir à la surface de l'eau, je n'arrivais pas à percer ce mystère. Je me souvenais juste qu'à Khardji *Omma* me criait toujours dessus quand je m'approchais trop de la rivière en me prévenant :

— Attention, si tu tombes, tu coules !

Malak disait que sa mère lui avait acheté un beau maillot de bain coloré, et qu'elle savait même construire des châteaux de sable, avec des tourelles et de grands escaliers, qui disparaissaient ensuite sous les vagues. Un jour, elle me colla contre l'oreille un gros coquillage qu'elle avait rapporté de Hodeïda.

— Écoute bien et tu entendras la mer.

— Les vagues, oui, j'entends les vagues ! C'est incroyable ! m'écriai-je.

Pour moi, l'eau, c'était avant tout la pluie, aujourd'hui de plus en plus rare au Yémen. Il arrivait que nous soyons surpris par la grêle en plein été. Quel bonheur ! Avec mes frères et sœurs, on s'empressait de courir dans la rue pour récolter les petits glaçons dans une bassine. Je les comptais fièrement, car à l'école j'avais appris à compter de 1 à 100. Une fois la grêle fondue, on s'amusait à s'asperger de son eau froide pour se rafraîchir le visage. Mona, de nature plutôt boudeuse depuis qu'on vivait à Sanaa, se joignait même parfois à nous dans ces occasions exceptionnelles. Après notre départ précipité de Khardji, elle nous avait rejoints deux mois plus tard à Sanaa, avec son époux qui s'était imposé à la hâte dans sa vie.

Au fil des années, Mona retrouva peu à peu son sourire naturel, son air moqueur et son sens de l'humour qui irritait souvent *Omma*. Elle mit deux jolis bébés au monde, Monira et Nasser, qui la comblaient de bonheur. Notre famille et la famille de son mari finirent même par se rapprocher. Pour renforcer cette union, il fut ainsi décidé de marier mon grand frère Mohammad à l'une des sœurs de mon beau-frère, selon la tradition du *sighar*[1].

Mais c'était trop beau pour durer. Un jour, ce fut au tour de son mari de disparaître du paysage, en même temps que ma grande sœur Jamila. S'étaient-ils enfuis, comme Fares, dans l'espoir, eux aussi, de faire fortune en Arabie Saoudite et de nous rapporter, peut-être, des jouets électroniques ? Ou une télévision avec des images animées en couleurs ? Dans la pièce des parents, on se mit à chuchoter souvent à leur sujet. Mais il était strictement interdit aux enfants de poser des questions. Je me souviens juste qu'après leur mystérieuse disparition, dont j'allais comprendre la raison bien plus tard, Mona commença à avoir à nouveau des sautes d'humeur. La plupart du temps, elle était triste et mélancolique et puis, tout d'un coup, il lui arrivait de partir dans des éclats de rire qui lui redonnaient toute sa beauté naturelle, mettant en valeur ses grands yeux bruns et ses traits délicats. Elle avait beaucoup de charme, Mona.

Mais qu'elle soit dans ses bons ou ses mauvais jours, elle était toujours particulièrement tendre à mon égard, protectrice même. Une sorte d'instinct maternel. Parfois, il lui arrivait de m'emmener avec elle pour faire du lèche-vitrines sur l'avenue Hayle, connue pour ses boutiques de vêtements. Le visage collé aux vitres, je regardais avec envie les tenues de soirée à paillettes, les jupes rouges, les chemises en soie rouge, bleue, violette, jaune, verte… J'imaginais que je me transformais en princesse. Il y avait même des robes de mariée, qui ressemblaient à des cos-

---

1. Le *sighar*, ou « mariage échange », est une vieille coutume, encore assez répandue dans les provinces yéménites et dans les milieux défavorisés ; elle consiste à donner une petite sœur du marié à un membre de la belle-famille en guise de dot.

tumes de film ou à des tenues magiques de fée. C'était beau. Ça faisait rêver.

Un soir du mois de février 2008, alors que je venais de rentrer à la maison, *Aba* m'annonça qu'il avait une bonne nouvelle.

— Nojoud, tu vas bientôt te marier, me dit-il.

Devant le tribunal, je suis avec Hamed Thabet, le journaliste du Yemen Times, à ma droite.

3.
Chez le juge

Le juge Abdo a du mal à cacher sa surprise.

— Tu veux divorcer ?

— Oui !

— Mais... tu veux dire que tu es mariée ?

— Oui !

Ses traits sont fins. Il porte une chemise blanche qui donne de l'éclat à sa peau mate. Mais en entendant ma réponse, son visage s'assombrit. Il semble avoir peine à me croire.

— À ton âge... Comment peux-tu déjà être mariée ?

— Je veux divorcer ! je répète sur un ton déterminé, sans prêter attention à sa question.

J'ai du mal à comprendre pourquoi, mais je n'ai pas un seul sanglot en m'adressant à lui. Comme si j'avais déjà épuisé tout mon stock de larmes. Je me sens fébrile, mais je sais ce que je veux. Oui, je veux en finir avec cet enfer. J'en ai assez de souffrir en silence.

— Mais tu es si jeune et si frêle...

Je le regarde en hochant la tête. Il se met à gratter nerveusement sa moustache. Pourvu qu'il accepte de me sauver ! C'est un juge, après tout. Il a sûrement beaucoup de pouvoir.

— Et pourquoi veux-tu divorcer ? reprend-il, d'un ton plus naturel, comme s'il cherchait à cacher son étonnement.

Je le fixe droit dans les yeux :

— Parce que mon mari me frappe !

C'est comme si je lui avais donné une claque en pleine figure. Son visage se fige à nouveau. Il vient de comprendre que quelque chose de grave m'est arrivé et que je n'ai pas de raison de lui mentir. Sans détour, il me pose directement une question importante :

— Es-tu toujours vierge ?

J'avale ma salive. J'ai honte de parler de ces choses-là. C'est gênant. Dans mon pays, les femmes se doivent de garder leurs distances avec les hommes qu'elles ne connaissent pas. En plus, ce juge, après tout, c'est la première fois que je le vois. Mais à cet instant même je comprends que, si je veux m'en sortir, je dois me jeter à l'eau.

— Non… J'ai saigné…

Il est sous le choc. Tout d'un coup, j'ai l'impression que, de nous deux, c'est lui qui est en train de flancher. Sa surprise ne m'échappe pas. Je vois bien qu'il essaye de cacher son émotion. Il prend une grande inspiration avant d'enchaîner :

— Je vais t'aider !

En fait, je me sens étrangement soulagée d'avoir enfin pu me confier à quelqu'un. Un poids vient de tomber de mes épaules. Je le vois qui saisit son téléphone d'un geste fébrile. Je l'entends échanger quelques remarques avec une autre personne, un collègue certainement. Tandis qu'il parle, il agite ses mains dans tous les sens. Il semble déterminé à vouloir me sortir de mon cauchemar. Pourvu qu'il trouve une solution définitive ! Avec un peu de chance, il va agir vite, très vite… et dès ce soir je pourrai rentrer chez mes parents pour jouer à nouveau avec mes frères et sœurs. Dans quelques heures, je serai divorcée. Divorcée ! À nouveau libre. Sans mari. Sans peur de me retrouver seule, à la tombée de la nuit, dans la même chambre que *lui*. Sans peur de subir, encore et encore, le même supplice…

Je me suis réjouie trop vite.

— Ma petite, tu sais, ça risque de prendre beaucoup plus de temps que tu ne l'imagines. C'est un dossier épineux. Et je ne peux malheureusement pas te garantir que tu gagneras.

Le deuxième juge qui nous a rejoints dans la salle fait voler en éclats mon enthousiasme. Il s'appelle Mohammad al-Ghazi. Il a l'air embarrassé. C'est le procureur du tribunal, le chef des juges, me précise Abdo. De toute sa carrière, il dit qu'il n'a jamais vu un cas semblable au mien. L'un et l'autre m'expliquent qu'au Yémen les filles sont souvent mariées très jeunes, avant l'âge légal de quinze ans[1]. Une vieille tradition, complète le juge Abdo. Mais de tous les mariages précoces du pays, aucun divorce n'a jamais été prononcé, à sa connaissance… car aucune petite fille n'a, jusqu'ici, fait le déplacement jusqu'au tribunal. Une question d'honneur familial, disent-ils. Ma situation est exceptionnelle… et compliquée…

— Il va falloir trouver un avocat, explique Abdo, désemparé.

Un avocat, mais pour quoi faire ? À quoi sert un tribunal s'il n'est même pas capable de prononcer des divorces sur-le-champ ? Je n'en ai rien à faire d'être un cas exceptionnel. Les lois, c'est pour aider les gens, oui ou non ? Ces juges ont l'air bien gentils, mais réalisent-ils que si je rentre à la maison sans

---

1. Un amendement à la loi sur le mariage, entré en vigueur en 1999, autorise les parents à marier leurs filles avant l'âge de quinze ans, à condition que le mari promette de ne pas toucher son épouse tant qu'elle n'est pas pubère. Mais cette condition, suffisamment floue pour faire l'objet d'interprétations arbitraires, est rarement respectée.

aucune garantie mon mari reviendra me chercher et les brimades recommenceront ?… Non, je ne veux pas rentrer chez moi.

— Je veux divorcer !

J'insiste en fronçant les sourcils.

L'écho de ma voix me fait sursauter. J'ai dû parler un peu trop fort. Ou est-ce à cause des grands murs blancs qui font caisse de résonance ?

— On va trouver une solution, on va trouver une solution… murmure Mohammad al-Ghazi, en redressant son turban.

Mais un autre souci le chiffonne. L'horloge vient d'annoncer 14 heures, l'heure de la fermeture des bureaux. Nous sommes mercredi, et le week-end musulman va commencer. Le tribunal ne rouvrira pas avant samedi. Je comprends qu'eux aussi sont inquiets de me voir repartir chez moi, après ce qu'ils viennent d'entendre.

— Hors de question qu'elle retourne chez elle. Et qui sait ce qu'il risque de lui arriver si elle traîne seule dans les rues, reprend Mohammad al-Ghazi.

Abdo a une idée : pourquoi n'irais-je pas trouver refuge sous son toit ? Il n'a toujours pas digéré mon histoire et il est prêt à tout pour m'arracher des griffes de mon mari. Mais il a vite fait de se rétracter, se souvenant que sa femme et ses enfants sont partis à la campagne pour quelques jours et qu'il est tout seul à la maison. Selon nos traditions islamiques, une femme ne doit pas se retrouver en tête à tête avec un homme qui n'est pas son *mahram*, c'est-à-dire qui n'a pas de lien de parenté direct avec elle.

Que faire ?

Un troisième juge, Abdel Wahed, finit par se porter volontaire. Sa famille est à la maison et ils ont de la place pour m'accueillir. Je suis sauvée ! Enfin, pour l'instant. Lui aussi, il a une moustache, mais il est plus trapu qu'Abdo. Ses lunettes en fer qui traversent son visage lui donnent un air très sérieux. Il est impressionnant dans son costume. Je n'ose pas trop lui parler. Mais je me ressaisis. Plutôt mettre ma timidité au placard que de rentrer chez moi... Et puis, ce qui me rassure, c'est qu'il a l'air d'être un vrai papa qui s'occupe bien de ses enfants. Pas comme le mien...

Sa voiture est grosse et confortable. Elle est très propre. Il y a même de l'air frais qui sort de petits ventilateurs. Ça me chatouille le visage. C'est agréable. J'ouvre à peine la bouche pendant le trajet. Je ne sais pas si c'est par timidité, par inquiétude ou parce que, finalement, je me sens bien avec tous ces grands qui se soucient de moi.

C'est Abdel Wahed qui brise le silence :

— Tu es une fille très courageuse ! Bravo ! Ne t'inquiète pas. C'est ton droit de demander le divorce. D'autres filles, avant toi, ont eu les mêmes soucis, mais elles n'ont malheureusement pas osé en parler... On va tout faire pour te protéger. On va tout essayer. Et on ne te laissera jamais retourner chez ton mari. Jamais ! C'est promis !

Mes lèvres se mettent à former un croissant de lune. Cela fait longtemps que je n'ai pas souri !

— Peut-être que tu ne le réalises pas encore, mais tu es une fille exceptionnelle ! renchérit-il.

Je rougis.

En arrivant chez lui, Abdel Wahed s'empresse de me présenter à sa femme, Saba, et à ses enfants. Shima, la fille, doit avoir trois ou quatre ans de moins que moi. Dans sa chambre, elle a plein de poupées Fulla, une version orientale de la Barbie américaine aux cheveux blonds dont rêvent les petites filles du Yémen.

— *Haram*[1] !

La réaction de Shima ne pouvait pas être plus naturelle quand sa maman lui explique qu'un méchant monsieur m'a battue. Elle en fronce les sourcils en imitant un adulte qui cherche à gronder quelqu'un. Son émotion me touche. Avec un sourire fraternel, elle me fait signe de la suivre pour aller jouer avec elle, puis me prend par la main.

Les quatre garçons, eux, sont en train de regarder des dessins animés. Chez eux, il y a deux téléviseurs, quel luxe !

— Fais comme chez toi, me dit Saba sur un ton doux et accueillant.

C'est donc ça, une vie de famille… Moi qui avais peur d'être une curiosité pour eux, ils m'ont vite adoptée. Je me sens bien ! Ils me donnent l'impression que je peux tout leur dire. Sans être jugée. Sans être punie. Ce soir-là, assise en tailleur dans le salon, c'est la première fois que j'ai la force de raconter mon histoire…

---

1. Le terme *haram*, qui signifie « interdit » ou « illicite », est aussi souvent utilisé sur un mode exclamatif pour manifester l'étonnement ou la compassion – ici : « la pauvre ».

الموضوع :
Sabah

4.
Le mariage

Février 2008

Avec Mona, on ne voyait jamais le temps passer quand on partait flâner sur l'avenue Hayle. Parfois, à trop presser nos museaux contre la vitrine de notre boutique préférée, les tenues de soirée disparaissaient derrière la buée qui se formait devant nos yeux. Moulée sur un mannequin en plastique, une robe blanche de mariée retenait toujours mon attention. Une robe de dame ! Et quel contraste avec toutes ces femmes qui, dans la rue, étaient couvertes de noir de la tête aux pieds.

— *Inch'Allah*[1], tu en auras une comme celle-ci, le jour de ton mariage, me glissait Mona, ses deux yeux pétillants encadrés par son *niqab* qui lui couvrait le reste du visage dès qu'elle sortait de la maison.

Mona souriait rarement. Elle n'avait pas eu la chance d'avoir des noces joyeuses. Mariée à la va-vite, elle n'avait eu droit qu'à une robe bleue et, à part ce détail de couleur, elle restait toujours évasive sur les circonstances de son mariage. Depuis que son mari

1. Littéralement : « Si Dieu le veut ».

était brusquement parti je ne sais où, je n'en entendais plus parler. Je l'imaginais en voyage, quelque part, très loin du Yémen, mais je me gardais bien de chercher à en savoir plus. Mona n'aimait pas qu'on lui pose des questions à ce sujet. Elle se contentait de me chuchoter que tout ce qu'elle me souhaitait, c'était d'être heureuse et de tomber sur un époux tendre et respectueux.

Je n'aurais pas imaginé que le jour de mon mariage arriverait aussi vite.

Et d'ailleurs, du mariage, je n'avais pas une idée bien claire. Pour moi, c'était avant tout une grande fête, avec plein de cadeaux, du chocolat, et des bijoux bien sûr. Une nouvelle maison, une nouvelle vie ! Quelques années auparavant, j'avais déjà assisté à différentes cérémonies, celles de lointains cousins et cousines. Il y avait de la musique, des danses. Sous leur *balto*, leur long manteau noir, les femmes étaient très élégantes. Leurs visages parfaitement maquillés, leurs cheveux lissés par le coiffeur. Comme sur les photos des emballages pour bouteilles de shampoing. Avec, sur la frange, une petite barrette en forme de papillon pour les plus coquettes. Je me suis toujours bien amusée dans ces fêtes ! Je me souviens du henné qui décorait les mains et les bras des jeunes mariées. Avec des motifs en forme de fleurs. C'était beau, le henné. Je me disais que moi aussi, un jour, j'aurais du henné sur les mains.

La nouvelle fut soudaine, inattendue. Quand *Aba* m'annonça que mon tour était venu, je n'ai pas bien compris. Au début, j'ai presque pris ça avec soulagement, comme une issue de secours. À la maison, la vie était devenue impossible. Depuis qu'*Aba* avait perdu son travail à la municipalité, il n'avait jamais pu retrouver un emploi à temps plein. Nous étions toujours en retard pour payer le loyer, et le propriétaire menaçait régulièrement de nous expulser.

Pour faire des économies, *Omma* ne cuisinait que du riz avec des ragoûts de légumes. Elle avait commencé à m'apprendre à l'aider aux tâches ménagères. Avec elle, je préparais le *shafout*, une sorte de grande crêpe qu'on recouvre de yaourt parfumé à l'oignon et à l'ail, et le *bin al sahn*, un délicieux dessert à base de miel. Quand mon père rapportait suffisamment de sous, elle envoyait un de mes frères acheter un poulet qu'elle cuisinait pour le vendredi, le jour sacré du calendrier musulman. La viande rouge, n'en parlons pas, ça coûtait trop cher. En fait, la dernière fois que je me rappelle avoir mangé du *fatah* – un ragoût de bœuf –, c'était lors de ma première sortie dans un restaurant, où nos cousins nous avaient invités pour célébrer l'Aïd. On avait même eu le droit de boire du « Bebsi », une boisson noire et gazeuse qui vient d'Amérique. Et en partant, un serveur m'avait aspergé les mains de parfum, comme les grands. Ça sentait bon !

Omma m'avait également appris à préparer les galettes de pain. Elle allumait le feu tandis que je pétrissais la pâte, l'étalais en lui donnant la forme d'une lune toute pleine pour ensuite la plaquer contre les parois du *tandour* – le four traditionnel. Mais un jour elle finit par renoncer au *tandour*, en échange de quelques billets au marché noir. Chaque fois que nous étions dans le besoin, elle vendait certains effets personnels. En fait, elle s'était résignée à ne pas compter sur mon père.

Et puis arriva le jour où il ne resta plus grand-chose à vendre. À force de sauter des repas par manque d'argent, mes frères finirent par rejoindre les petits vendeurs ambulants qui vont frapper, au feu rouge, contre les pare-brise des voitures en espérant récolter quelques pièces contre un paquet de chewing-gums ou une boîte de mouchoirs en papier.

Mona finit, elle aussi, par s'y mettre. Mais la mendicité lui joua de mauvais tours. Au bout de vingt-quatre heures, elle fut ramassée par la police et envoyée pour quelques jours dans un centre réservé aux gens qui font des bêtises. À son retour à la maison, elle nous raconta qu'elle s'était retrouvée avec des dames accusées de fréquenter plusieurs hommes à la fois, et que les gardiennes de la prison leur tiraient les cheveux. Quand, une fois remise de ses émotions, elle ressortit pour quémander quelques pièces, elle tomba à nouveau nez à nez avec la police. Après cette deuxième incarcération, elle finit par renoncer à ses escapades risquées. Ce fut alors à notre tour, à Haïfa et à moi, de nous y mettre. Main dans la main, on allait parfois gratter nos ongles sur les vitres des voitures en osant à peine lever les yeux vers les automobilistes. Bien souvent, ils nous ignoraient. Je n'aimais pas ça, mais on n'avait pas le choix.

Les jours où *Aba* ne traînait pas trop tard au fond de son lit, il partait s'accroupir, comme les autres chômeurs, sur une des places du quartier, en espérant décrocher un petit boulot à la journée : ouvrier, maçon, homme à tout faire pour l'équivalent de 1 000 rials[1]. Ses après-midi, il les passait de plus en plus régulièrement chez des voisins, à mâcher du *qat*. Il disait que ça lui permettait d'oublier ses problèmes. C'était devenu un rituel. Assis en tailleur avec d'autres hommes du quartier, il sortait les meilleures feuilles vertes d'un petit sac en plastique et les glissait dans un coin de sa bouche. Plus le sac se vidait, plus la joue gonflait ; les feuilles finissaient par former une boule, qu'il mastiquait pendant des heures et des heures.

1. Environ 4,5 euros.

C'est pendant une de ces séances de *qat* qu'un jeune homme d'une trentaine d'années l'avait approché.

— Je voudrais que nos deux familles s'unissent, lui avait dit l'homme.

Il s'appelait Faez Ali Thamer, et il travaillait comme livreur, transportant des paquets à droite et à gauche sur sa moto. Il était originaire, comme nous, du village de Khardji, et il était à la recherche d'une épouse. Mon père accepta aussitôt. Dans la logique des choses, j'étais celle qu'il fallait marier, après mes deux grandes sœurs, Jamila et Mona. Quand il rentra à la maison, sa décision était déjà prise. Et personne ne put s'y opposer.

Le soir même, je surpris une conversation entre mon père et Mona.

— Nojoud est bien trop jeune pour se marier, lança Mona.

— Trop jeune ? Quand le prophète Mahomet épousa Aïsha, elle n'avait que neuf ans, lui répondit mon père.

— Oui, mais c'était à l'époque du Prophète. Maintenant, c'est différent.

— Écoute, ce mariage, c'est la meilleure façon de la protéger !

— Que veux-tu dire par là ?

— Tu le sais bien. Ça lui évitera les mêmes ennuis qu'à toi et à Jamila... Ça lui évitera d'être enlevée par un inconnu et de faire l'objet de mauvaises rumeurs... Cet homme a l'air honnête, au moins. Il est connu dans le quartier. Il vient de notre village. Et il a promis de ne pas toucher Nojoud avant qu'elle soit plus grande.

— Mais...

— J'ai pris ma décision ! En plus, tu sais bien que nous n'avons pas suffisamment d'argent pour nourrir toute la famille. Alors, ça nous fera une bouche en moins...

Ma mère, elle, restait silencieuse. Elle semblait triste, mais résignée. Après tout, elle aussi avait été l'objet d'un mariage arrangé, comme la plupart des femmes yéménites. Elle était donc bien placée pour savoir que dans notre pays ce sont les femmes qui endurent, tandis que les hommes donnent des ordres. Ainsi, prendre ma défense aurait été voué à l'échec.

Les paroles de mon père résonnaient dans ma tête. Une bouche en moins... Je n'étais donc à ses yeux qu'un fardeau, et il avait saisi la première occasion pour s'en débarrasser... C'est vrai, je n'avais pas toujours été la petite fille sage qu'il aurait aimé avoir. Mais après tout, c'est dans la nature des enfants de faire des bêtises, non ? Et moi, je l'aimais malgré tous ses défauts, malgré sa mauvaise odeur de *qat*, malgré son insistance pour que nous allions mendier quelques morceaux de pain dans la rue.

« Les mêmes ennuis qu'à toi et à Jamila. » Que voulait-il dire ? Tout ce que je savais, c'est qu'une semaine était passée, puis une autre, puis encore une autre sans que Jamila réapparaisse. Comme le mari de Mona, elle était partie soudainement. J'avais même fini par renoncer à compter les jours qui m'éloignaient d'elle. Elle qui nous rendait si souvent visite avait disparu pour de bon. Je l'aimais bien, Jamila. De nature réservée, elle ne parlait pas beaucoup. Mais elle était généreuse et attentive. Parfois, elle m'apportait des sucreries. Le mari de Mona, lui non plus, n'était jamais revenu depuis ce mystérieux départ. Où était-il donc passé ? Trop compliquées pour moi, ces histoires de grands.

En son absence, la belle-mère de Mona exigea d'avoir la garde de ses petits-enfants, Monira, trois ans, et Nasser, un an et demi. Mona en eut le cœur déchiré et déploya une énergie folle pour ne pas être séparée de ses enfants. Son combat aboutit à une demi-victoire. À force d'insister, elle parvint finalement à garder le petit avec elle, prétextant la nécessité de l'allaiter. Obsédée par la peur de le perdre, elle ne le quittait jamais des yeux. Dès qu'il s'éloignait d'elle, elle lui courait après et le serrait très fort dans ses bras, comme un trésor qu'on essaie de cacher.

Les préparatifs du mariage s'enchaînèrent très vite. Et je compris rapidement mon malheur. Sur décision de la famille de mon futur mari, je dus arrêter d'aller à l'école un mois avant la nuit de noces. Le cœur lourd, j'embrassai Malak en lui disant que, promis, je reviendrais vite.

— Un jour, on ira ensemble au bord de la mer, me murmura-t-elle en me serrant fort dans ses bras.

Je ne devais plus jamais la revoir.

Je dus aussi dire adieu à mes deux institutrices préférées, Samia et Samira. Avec elles, j'avais appris à écrire mon prénom en lettres arabes, de droite à gauche – la courbe du « *noun* », le déhanché du « *jim* », la boucle du « *waou* » et les pinces du « *del* » : Nojoud ! Je leur devais beaucoup.

Les mathématiques et les cours de Coran faisaient partie de mes matières préférées. En classe, on s'était entraînées à mémoriser les cinq piliers de l'islam : la *chahada*, ou profession de foi ; les cinq prières quotidiennes ; le *had*, qui correspond au grand pèlerinage à La Mecque ; la *zakat*, c'est-à-dire l'argent qu'on donne aux plus pauvres pour les aider ; et puis le ramadan, pendant lequel on ne doit ni manger ni boire du lever au coucher du soleil. Quand nous serions plus grandes, nous avait dit Samia, nous ferions nous aussi le ramadan.

Mais ce que je préférais, c'était le dessin. Avec mes crayons de couleur, je dessinais des poires, des fleurs. Et aussi des villas avec des toits bleus, des volets verts et des cheminées rouges. Devant la grille d'entrée, je représentais parfois un garde en uniforme. On dit que les maisons des gens qui ont beaucoup d'argent sont protégées par des gardes. Dans le jardin, je dessinais toujours de grands arbres fruitiers. Avec un petit bassin d'eau en plein milieu.

À la récréation, on jouait à cache-cache et on récitait des comptines. J'adorais l'école. C'était mon refuge, mon petit bonheur à moi.

Je dus également faire une croix sur mes escapades chez les voisins, à quelques mètres de chez nous. Chez eux, il y avait un transistor. Avec ma petite sœur Haïfa, on avait pris l'habitude d'aller leur rendre visite pour écouter des cassettes de Haïfa Wehbe et de Nancy Ajram, deux belles chanteuses libanaises aux cheveux longs et au visage très maquillé. Elles avaient de beaux yeux, un nez parfait. On s'amusait à les imiter en faisant papillonner nos cils et en trémoussant nos hanches. Il y avait aussi la chanteuse yéménite Jamila Saad, qui nous plaisait bien. Une vraie star ! « Tu es tellement fier de toi... Tu penses que tu es le meilleur », disait une de ses chansons d'amour.

Nos voisins faisaient aussi partie des rares chanceux du quartier à avoir un téléviseur. La télé, ça me faisait voyager. J'adorais regarder *Tom et Jerry*, mon dessin animé préféré, ou encore *Adnan et Lina*, qui racontait l'histoire de deux amis asiatiques dans un pays lointain. Ils avaient tous les deux des yeux bridés. Je pense qu'ils étaient japonais ou bien chinois. Mais ce qui était incroyable, c'est qu'ils parlaient l'arabe comme moi, sans accent ! Adnan était un garçon courageux, qui voulait toujours aider Lina. Il la sauva d'ailleurs à plusieurs reprises des griffes de méchantes personnes qui voulaient l'enlever. Elle en avait de la chance ! Je l'enviais beaucoup.

Adnan me faisait penser à Eyman, un jeune d'Al-Qa que je n'oublierai jamais. Un jour que nous marchions dans la rue avec d'autres amies, un garçon du coin nous barra la route. Il se mit à nous faire peur en nous disant de vilaines choses qui ressemblaient à des insultes. Face à nos mines apeurées, il ricana bêtement. C'est là qu'Eyman déboula par surprise et le coinça.

— Va-t'en ou je te jette des pierres à la figure ! l'avait-il menacé.

Effrayé, le garçon avait fini par s'enfuir. Quel soulagement ! C'est la première et la dernière fois que quelqu'un a pris ma défense. Eyman était devenu mon héros imaginaire. Je me disais que quand je serais grande j'aurais peut-être la chance d'avoir un mari comme lui.

*
* *

— Youyouyouyou !! !

Les cousines de la famille se mirent à claquer dans leurs mains en me voyant arriver. Moi, je distinguais à peine leurs visages, tellement mes yeux étaient pleins de larmes. J'avançais lentement, en faisant de mon mieux pour éviter de me prendre les pieds dans cette tenue trop grande pour moi et qui traînait au sol. On m'avait habillée à la va-vite d'une longue tunique couleur chocolat à moitié délavée qui appartenait à la femme de mon futur beau-frère. Une parente s'était chargée de rassembler mes cheveux dans un chignon qui m'écrasait la tête. Je n'eus même pas droit à un trait de Rimmel sur les yeux. En croisant mon regard dans un petit miroir, j'avais pu rapidement regarder mes joues rondes et mes yeux marron, en forme d'amande, légèrement bridés.

Mon front était lisse, et mes lèvres roses. J'avais eu beau scruter mon visage, je n'y avais décelé aucune ride. J'étais jeune, trop jeune.

Deux semaines, à peine, venaient de s'écouler depuis la demande en mariage. Selon les coutumes locales, la fête eut lieu entre femmes, au domicile minuscule de mes parents. Nous étions une petite quarantaine à tout casser. Pendant ce temps, les hommes s'étaient réunis chez un de mes oncles, pour mastiquer une fois de plus du *qat*. C'est aussi entre hommes et à huis clos que le contrat de mariage avait été signé l'avant-veille. Tout s'était fait sans moi. Ni moi, ni ma mère, ni mes sœurs n'avons eu le droit de savoir. C'est par mes petits frères, partis mendier quelques sous dans la rue pour nourrir l'assemblée composée d'*Aba*, de mon oncle et de mon futur mari accompagné de son père et de son frère, que nous avons appris quelque chose, en fin d'après-midi. La réunion avait eu lieu selon des règles tribales bien établies. Le beau-frère de mon père, le seul à savoir lire et écrire, avait fait office de notaire. C'est lui qui avait rédigé le contenu du contrat. Il avait été décidé que ma dot[1] s'élèverait à 150 000 rials[2].

— Ne t'inquiète pas, entendis-je mon père chuchoter à ma mère, à la nuit tombée. On lui a fait promettre de ne pas toucher Nojoud avant la première année qui suivra ses premières règles.

Un frisson parcourut mon corps.

La fête, qui avait commencé à l'heure du déjeuner, fut vite expédiée. Sans robe blanche. Sans fleurs de

1. La dot a une importance sociale et économique au Yémen. Son montant se négocie au préalable entre les hommes des deux familles, à la manière d'un marchandage.

2. Soit environ 540 euros.

henné sur les mains. Sans mes bonbons favoris à la noix de coco, ceux que j'aime tant et qui ont le goût sucré des jours heureux. Mais elle me parut durer une éternité. Assise dans un coin de la pièce, je refusais d'aller danser avec les autres femmes, car je comprenais peu à peu que ma vie était en train de basculer. Et pas dans le bon sens. Les plus jeunes commencèrent à exhiber leur nombril en improvisant une danse du ventre et en faisant onduler leurs corps comme dans un vidéoclip sirupeux. Main dans la main, les aînées s'élancèrent dans des chorégraphies folkloriques plus traditionnelles, comme celles qu'on voit dans les villages. Entre deux morceaux de musique, elles s'interrompaient pour venir me saluer. Je les embrassais comme il se devait. Mais je n'arrivais même pas à faire semblant de sourire.

Je restais impassible, le visage bouffi d'avoir trop pleuré, assise dans un coin du salon. Je ne voulais pas quitter ma famille. Je ne me sentais pas prête. L'école me manquait déjà terriblement, et Malak encore plus. En croisant le regard triste de ma petite sœur Haïfa, pendant la fête, j'ai commencé à me rendre compte qu'elle aussi elle allait me manquer. Une crainte m'envahit soudain : et si elle aussi était condamnée au même sort que moi ?

Au coucher du soleil, les invitées s'éclipsèrent et je m'assoupis tout habillée, Haïfa à mes côtés. Ma mère nous rejoignit un peu plus tard, après avoir mis de l'ordre dans le salon. Quand mon père rentra de sa réunion entre hommes, nous étions déjà toutes endormies. Pendant ma dernière nuit de fille célibataire, je ne fis aucun rêve. Je ne me rappelle pas, non plus, avoir eu le sommeil agité. Je me suis seulement demandé si j'allais me réveiller le lendemain matin comme après un cauchemar.

Quand la lumière du soleil inonda la chambre, vers 6 heures, *Omma* me tira de mon sommeil, et me demanda de la suivre dans le petit couloir. Comme chaque matin, nous nous prosternâmes devant Dieu, en récitant la première prière de la journée. Puis elle me servit un bol de *foul* – des haricots blancs aux oignons et à la sauce tomate, qu'on mange au petit déjeuner – accompagné d'une tasse de *chaï* (du thé) au lait. Un petit balluchon m'attendait devant la porte, mais je fis semblant de ne pas le voir. C'est seulement quand un coup de Klaxon retentit à l'extérieur de la maison que je dus me résigner à cette nouvelle vie pleine d'incertitude. Ma mère me serra fort contre elle, avant de m'aider à me draper dans un manteau et un foulard noirs. Ces dernières années, je m'étais juste contentée d'un petit voile coloré quand je sortais dans la rue. Il m'arrivait même parfois de l'oublier, mais personne n'y prêtait attention. Puis je vis *Omma* plonger la main dans le balluchon et en sortir un *niqab* de couleur noire qu'elle me tendit. Jamais, jusqu'ici, je n'avais été forcée de me voiler intégralement.

— À partir d'aujourd'hui, tu dois te couvrir en sortant dans la rue. Tu es désormais une femme mariée. Ton visage ne doit être vu que par ton époux. Car c'est son *sharaf*[1] qui est en jeu. Et tu te dois de ne pas le salir.

J'acquiesçai tristement, en lui faisant mes adieux. Je lui en voulais de m'abandonner, mais je ne trouvais pas les mots pour lui exprimer ma peine.

*

* *

À l'arrière du 4 × 4 qui m'attendait devant la porte d'entrée, un homme de petite taille me fixait du

1. « Honneur » en arabe.

regard. Il portait une longue tunique blanche, comme *Aba*, et il avait une moustache. Ses cheveux, coupés court, étaient en bataille, un peu bouclés ; ses yeux, bruns, et son visage, mal rasé. Ses mains étaient noircies par le cambouis. Il n'était pas beau. C'était donc lui, Faez Ali Thamer, celui qui avait choisi de me prendre pour épouse, cet inconnu que j'avais peut-être déjà croisé une fois à Khardji, où nous étions retournés quelquefois au cours de ces dernières années, mais dont je ne me souvenais pas.

On me fit asseoir sur la première banquette, juste derrière le chauffeur, avec quatre autres passagères, dont l'épouse du frère de mon mari. Elles avaient des sourires crispés et ne semblaient pas bien bavardes. Lui, l'inconnu, occupait la deuxième rangée, à côté de son frère. J'étais un peu rassurée de ne pas avoir à regarder son visage pendant notre longue route. Mais je sentais ses yeux sur moi, et ça me donnait des frissons. Qui était-il, au juste ? Pourquoi avait-il voulu m'épouser ? Qu'attendait-il de moi ? Et le mariage, ça voulait dire quoi exactement ? À toutes ces questions, je n'avais aucune réponse.

Quand le moteur commença à ronronner et que le chauffeur appuya sur l'accélérateur, je ne pus m'empêcher de laisser, à nouveau, échapper des larmes. Mon cœur battait très fort. La figure collée à la fenêtre, je ne quittais pas *Omma* du regard, jusqu'à ce qu'elle finisse par n'être plus qu'un tout petit point de rien du tout…

Je ne décrochai pas un mot du voyage. Perdue dans mes pensées, je n'avais qu'une idée en tête : trouver un moyen de rentrer chez moi. M'échapper ! Mais plus la voiture s'éloignait de Sanaa, en direction du nord, plus je comprenais que mes tentatives seraient vouées à l'échec. Combien de fois ai-je pensé arracher ce *niqab* noir qui m'étouffait ? Je me sentais petite, trop petite pour tout ça. Pour le *niqab*, pour ce long voyage loin de mes parents, pour cette nouvelle vie au côté d'un homme qui me dégoûtait et que je ne connaissais pas. Le 4 × 4 s'arrêta net.

— Ouvrez votre coffre !

La voix du soldat me fit sursauter. Fatiguée d'avoir trop pleuré, j'avais fini par m'assoupir. Et puis j'eus vite fait de me rappeler que la route qui mène vers le nord est remplie de postes de contrôle, et qu'on n'en était qu'au premier. On dit que c'est à cause de la guerre qui sévit au nord entre l'armée et les rebelles houthis[1]. Mon père dit que les Houthis sont des chiites, tandis que la plupart des Yéménites sont sunnites. La différence ? Je n'en ai aucune idée. Tout ce que je sais, c'est que je suis musulmane et que je fais mes cinq prières par jour.

Après un rapide coup d'œil à l'intérieur du véhicule, le soldat nous fit signe d'avancer. Si seulement j'avais pu profiter de cette occasion pour l'appeler à l'aide, pour lui demander de venir à mon secours ! Avec son uniforme vert et son arme à l'épaule, son rôle n'était-il pas de veiller à l'ordre et à la sécurité ? J'aurais alors pu lui dire que je ne voulais pas quitter Sanaa, que j'avais peur de m'ennuyer au village, que je n'y connaissais plus personne…

Sanaa, la capitale, j'avais fini par m'y habituer. J'aimais ses bâtiments en construction, ses grandes

---

1. De 2004 à l'été 2008, un conflit complexe et sanglant a opposé, aux alentours de la ville de Saada, au nord du pays, les troupes gouvernementales au mouvement rebelle Al-Houthi, dont les membres sont issus de la minorité zaydite, une branche de l'islam chiite (la majorité des Yéménites sont sunnites). Les revendications des Houthis sont à la fois religieuses, sociales et politiques.

avenues, ses panneaux publicitaires pour téléphones mobiles et sodas à l'orange qui picotent le palais. La pollution et les embouteillages faisaient désormais partie de mon quotidien. Mais c'est la vieille cité, Bab-al-Yemen – la porte du Yémen –, qui allait surtout me manquer. Bab-al-Yemen, une véritable ville dans la ville, un endroit magique où j'aimais aller flâner, accrochée à la main de Mona ou de Jamila, en me prenant pour une aventurière partie en mission d'exploration ! Un univers à part, avec ses maisons en terre et ses décorations blanches au tracé arrondi autour des fenêtres. Des décorations tellement délicates que des architectes indiens avaient dû passer par là, il y a très longtemps, bien avant ma naissance. Cet endroit est si raffiné que je m'étais inventé l'histoire d'un roi et d'une reine qui devaient y avoir vécu des jours heureux. Peut-être même que la vieille cité leur appartenait tout entière ?

Dès qu'on pénétrait dans Bab-al-Yemen, des bruits montaient de partout : les cris des marchands se mêlaient aux crachotements des vieux radiocassettes et aux complaintes des mendiants nu-pieds. Au détour d'une ruelle, il arrivait qu'un jeune cireur de chaussures vous attrape le pied pour vous proposer ses services. L'appel à la prière venait soudain dominer ce concert de sons épars. Je m'amusais à tendre mon nez pour reconnaître les odeurs du cumin, de la cannelle, des clous de girofle, des noix et des raisins secs qui s'évadaient des échoppes. Parfois, je me mettais sur la pointe des pieds pour mieux apprécier le contenu des étals, un peu trop haut pour ma taille, qui s'empilaient à perte de vue et qui proposaient, pêle-mêle, des *jambias* en argent, des châles brodés, des tapis, des beignets sucrés, du henné et des robes pour les petites filles de mon âge.

À Bab-al-Yemen, on croisait parfois des femmes drapées dans de longs voiles fleuris et colorés, les *sitaras*[1]. Je m'amusais à les appeler les « dames de la vieille ville », car leurs tenues aux couleurs joyeuses étaient bien différentes des voiles noirs que les femmes portent habituellement dans la rue, et semblaient d'une autre époque[2].

Un après-midi, alors que j'accompagnais ma tante pour aller faire des courses, je m'égarai au milieu de cette foule compacte. Je m'étais laissé distraire par cet univers presque irréel que j'aimais déguster des yeux. Je rebroussai alors chemin pour tenter de la retrouver. Mais je vis bientôt que les ruelles se ressemblaient toutes. Fallait-il prendre la prochaine à droite ? Ou à gauche ? Désorientée, je m'accroupis en pleurant. J'étais perdue. Pour de bon. Et il me fallut deux bonnes heures avant d'être repérée par un vendeur qui connaissait ma tante.

— Nojoud, quand cesseras-tu d'être étourdie ? m'avait-elle lancé en attrapant ma main.

Perdue, je l'étais à nouveau, en ce triste lendemain de mes noces, assise dans ce 4 × 4 inconfortable. Mais cette fois le monde qui m'entourait était bien réel. Fini la magie des épices et les regards bienveillants des vendeurs qui faisaient goûter aux enfants leurs beignets encore chauds. Ma vie prenait une nouvelle direction, dans ce monde de grands, où les rêves n'ont plus leur place, où les visages sont figés, et où personne ne semblait se soucier de moi.

Une fois la capitale derrière nous, l'autoroute prit bientôt la forme d'un long ruban noir, serpentant de

1. « Rideaux » en arabe.

2. D'après les témoignages recueillis à Sanaa, c'est au moment du déclin de l'Empire ottoman – qui étendit pour un temps son influence jusqu'au Yémen – et de la prise de pouvoir de l'imam Yahya au nord du Yémen que les femmes se mirent à se voiler de noir.

montagnes en vallées. À chaque virage, je m'accrochais fermement à la poignée de mon siège. Mon estomac se soulevait et se tordait. À plusieurs reprises, je dus me pincer fort pour tenter de contenir mon mal au cœur. Plutôt mourir que de *lui* demander de s'arrêter sur le bord de la route pour que je puisse respirer l'air frais. Alors, pour tenir le coup, j'avalais doucement ma salive, en essayant de faire le moins de bruit possible.

Pour faire abstraction de mon entourage, je décidai de me livrer à un exercice qui consistait à observer les plus petits détails du paysage. Des vieilles forteresses en ruine juchées sur des promontoires. Des petites maisons couleur marron bordées de blanc, et qui me rappelaient vaguement Bab-al-Yemen. Des cactus sur le bord de la route, des cols de montagne tout secs alternant avec des poches d'agriculture où l'on croisait des chèvres broutant de l'herbe. Et des vaches. Des femmes aussi, le visage couvert par un foulard qu'elles repliaient à hauteur de la bouche. Je crus aussi voir deux chats écrasés, mais je fermai vite les yeux pour ne pas imprimer cette image dans ma tête. Quand je les rouvris, un océan de *qat* entourait la voiture. À droite, à gauche, de la verdure à perte de vue. C'était magnifique ! Ça respirait la fraîcheur !

— Le *qat*, notre tragédie... Ça consomme tellement d'eau qu'on finira par tous crever de soif dans ce pays[1] ! s'exclama le chauffeur.

La vie, pensai-je, est bizarrement faite. Même les jolies choses peuvent faire du mal. Il n'y a pas que les méchants qui sèment la miséricorde... Difficile à comprendre...

Un peu plus loin, juste à ma droite, je reconnus Cocabane, un petit village taillé à même la pierre et

1. Actuellement, près des deux tiers des réserves en eau du Yémen sont utilisés pour la culture du *qat*.

perché en haut d'une colline. Plus petite, je me souviens être passée à côté avec mes parents, alors qu'on allait célébrer l'Aïd dans un autre village. On raconte que les femmes de Cocabane sont belles et minces parce qu'elles descendent tous les matins pour travailler dans les champs. Une heure de trajet pour descendre. Une heure de trajet pour remonter. Un vrai sport ! Quel courage ! *Une heure pour descendre. Une heure pour remonter… Une heure pour descendre. Une heure pour remonter…*

C'est le bourdonnement du moteur qui me réveilla en me faisant sursauter. Combien de temps avais-je dormi ? Combien de kilomètres avions-nous déjà parcourus ? Je n'en avais aucune idée.

— Une… deux… et trois !

À l'arrière du 4 × 4, une demi-douzaine d'hommes appuyés contre le coffre s'évertuaient à pousser de toutes leurs forces notre véhicule qui s'était enlisé dans un trou terreux. Enveloppée d'un nuage de poussière soulevé par les roues, j'essayai de déchiffrer sur un panneau le nom du village sec et aride où nous avions atterri. Arjom. Apparemment, nous avions quitté la route principale pour nous engager sur un chemin défoncé et rocailleux, qui glissait le long d'une ravine jusqu'à une gorge profonde. La voiture était bel et bien bloquée.

— Vous feriez mieux de faire demi-tour ! Vous n'arriverez jamais à poursuivre sur ce chemin, il ne fait qu'empirer, lança un des villageois, un tissu blanc et rouge enroulé autour de son visage.

— Mais nous devons nous rendre à Khardji ! rétorqua le chauffeur.

— Pfff, avec cette voiture, vous rigolez !

— Alors, que faire ?

— La meilleure solution, c'est à dos d'âne !

— À dos d'âne ! Mais il y a des femmes à bord. Ça risque d'être difficile...

— Écoutez, je vous propose de louer les services d'un de nos gars. Il a l'habitude d'y faire des allers-retours pour transporter des visiteurs. Et les pneus de sa voiture sont adaptés. Il les remplace au moins tous les deux mois, tellement la route est mauvaise !

La décision fut donc prise de changer de voiture. Pendant que les grands s'affairaient à déplacer les balluchons d'un véhicule à l'autre, je profitai de ces quelques minutes de répit pour me dégourdir les jambes. Je pris une grande inspiration, remplissant au maximum mes poumons de l'air pur des montagnes. J'avais tellement transpiré que la robe marron, que je portais toujours sous mon voile noir, me collait à la peau. J'en soulevai les plis pour m'approcher de la ravine. Wadi La'a ! Tout en bas, loin, très loin, je reconnus Wadi La'a, la vallée de mon village. Elle n'avait pas changé ! J'étais pourtant toute petite quand nous l'avions quittée. Étaient-ce mes souvenirs d'enfance qui rejaillissaient, entretenus grâce à quelques récents voyages dans la région, en compagnie de mes parents ? Ou le souvenir ranimé par des photos jaunies qui traînaient dans un vieil album qu'*Aba* regardait de temps en temps, la larme à l'œil ? L'image de mon grand-père me revint à l'esprit. Je l'aimais tellement, mon Jad. Quand il était mort, l'année d'avant, j'avais beaucoup pleuré. Il portait toujours un turban blanc enroulé autour de sa tête. Il avait une barbe fine et grisonnante, qui contrastait avec ses épais sourcils d'un brun foncé. Parfois, il me prenait sur ses genoux et s'amusait à me faire tomber à la renverse, pour me rattraper à la dernière minute. Dans ses bras, je me sentais si bien. J'avais pris l'habitude de penser que, si le monde s'écroulait autour de nous, mon Jad serait toujours à mes côtés pour me sauver. Il était parti trop vite.

— Nojoud ! Nojoud !

Je me retournai, me demandant qui pouvait bien m'appeler. C'était une voix peu familière. Un timbre inhabituel, étranger à mes oreilles. Pas comme celui de Jad, que je pouvais toujours reconnaître les yeux fermés. En levant la tête, je compris que c'était *lui*, mon mari inconnu, qui s'adressait à moi pour la première fois depuis notre départ de Sanaa. En me regardant à peine, il m'annonça qu'il était temps de repartir. J'opinai du chef en me dirigeant vers notre nouveau « carrosse » : un pick-up Toyota rouge et blanc, complètement rouillé. On me fit monter à l'avant avec la belle-sœur voilée, juste à droite du nouveau chauffeur. Les hommes, eux, grimpèrent derrière, dans le coffre à ciel ouvert, avec d'autres passagers qui prenaient la navette.

— Accrochez-vous, ça va tanguer ! prévint le chauffeur.

Avant de démarrer, il alluma son radiocassette, en montant le niveau au maximum. Une mélodie folklorique se mit à crachoter des enceintes aussi rouillées que le pick-up. Et les vibrations de l'*oud*[1], qui accompagnait la voix d'un chanteur local très connu, Hussein Moheb, s'ajoutèrent bientôt aux secousses provoquées par les grosses pierres qui narguaient le pick-up. On ne tanguait pas, on sautait dans tous les sens ! À plusieurs reprises, des cailloux rebondirent sur notre pare-brise. Les mains crispées sur la poignée de porte, je priais pour arriver entière au village.

— Écoute la musique ! Elle va te faire oublier tes angoisses ! lâcha le chauffeur.

S'il avait su de quelle autre angoisse j'étais habitée...

---

1. L'*oud*, qui signifie littéralement « bois » en arabe, est un luth oriental.

Nous avons roulé pendant des heures et des heures au rythme des complaintes de Hussein Moheb. J'aurais dû compter le nombre de fois où le chauffeur rembobina la cassette... Il était comme enivré par la musique, qui lui donnait sûrement le courage de résister à la force de la nature. Accroché à son volant comme un cavalier à son cheval, il affrontait le moindre virage en gardant les yeux fixés sur le chemin sinueux. Comme s'il en connaissait par cœur tous les pièges.

— La nature que Dieu a créée est bien dure, mais heureusement il a créé des hommes encore plus résistants ! dit-il.

Eh bien, pensai-je, s'il disait vrai, alors Dieu avait dû m'oublier.

Plus nous nous enfoncions dans la vallée, plus la boule d'angoisse grossissait dans le creux de ma gorge. J'étais fatiguée. J'avais mal au cœur, j'avais faim et soif. Mais j'avais surtout peur. Dans ma tête, j'avais épuisé toutes les idées de jeux possibles et inimaginables pour essayer d'oublier mon malheur. Au fur et à mesure que nous nous approchions de Wadi La'a, mon sort me paraissait de plus en plus incertain. Et mon espoir de fuite, complètement fichu.

Khardji n'avait pas changé. L'autre bout du monde... À peine arrivée, le dos brisé par les secousses, je reconnus les cinq maisons en pierre, la petite rivière qui coule à travers le village, les abeilles qui butinent de fleur en fleur, les arbres à perte de vue. Et les enfants du village qui vont puiser l'eau à la source, en remplissant leurs petits jerrycans jaunes. Sur le seuil d'une des maisons, une dame nous attendait. Je sentis aussitôt qu'elle me regardait de travers. Elle ne m'embrassa pas. Pas même un petit baiser, pas même un câlin. C'était *sa* mère. Ma nouvelle belle-mère. Elle était vieille et laide. Sa peau était fripée, comme celle d'un lézard. Il lui manquait deux dents de devant, et toutes les autres étaient gâtées par les caries et noircies par le tabac. Un foulard noir et gris couvrait ses cheveux. D'un geste de la main, elle me fit signe d'entrer. L'intérieur était sobre, à peine meublé. Il était composé de quatre chambres, un salon et une minuscule cuisine. Pour les toilettes, c'était dans la nature, derrière les buissons.

Sans faire de manières, je dévorai le riz et la viande que *ses* sœurs avaient préparés. Je mourais de faim. Je n'avais rien avalé depuis notre départ de Sanaa. Après le repas, les grands se réunirent pour une séance de *qat*. Encore une ! Des invités du voisinage se joignirent à l'assemblée. Recroquevillée dans un coin, je restais muette en les regardant. À mon grand étonnement, personne ne semblait surpris par mon jeune âge. J'appris plus tard que les mariages avec des petites filles sont chose courante en province. Pour eux, je ne représentais donc aucune exception particulière. « Si tu épouses une fille de neuf ans, alors un mariage heureux te sera garanti », dit même un proverbe tribal...

Entre les grands, les conversations allaient bon train.

— La vie est devenue tellement chère à Sanaa, se plaignit ma belle-sœur.

— À partir de demain, je vais apprendre à la petite à se mettre au travail, elle aussi, surenchérit ma vieille belle-mère sans prononcer mon nom. D'ailleurs, j'espère qu'elle a rapporté des sous avec elle.

— Les caprices de gamine, c'est fini. On va lui montrer comment être une femme, une vraie !

Quand on me montra ma chambre, une fois les invités partis, au coucher du soleil, je me souviens de m'être sentie très soulagée. J'allais enfin pouvoir ôter cette tunique marron que je portais depuis la veille et qui commençait à sentir vraiment mauvais. Une fois la porte refermée derrière moi, je poussai un grand soupir et m'empressai de me changer pour enfiler une petite chemise en coton rouge que j'avais rapportée de Sanaa. Elle avait l'odeur de chez moi, une odeur de renfermé parfumée à l'*oud*[1]. Une odeur familière qui rassure. Une longue natte était posée à même le sol : mon lit. Avec, à côté, une vieille lampe à huile en guise d'éclairage, qui projetait le reflet de sa flamme contre le mur. Je n'eus même pas besoin de l'éteindre pour m'endormir.

Enfin !

J'aurais préféré ne jamais me réveiller. Quand la porte s'ouvrit avec fracas, je sursautai en pensant que le vent était bien fort, cette nuit-là. J'eus à peine le temps d'ouvrir l'œil que je sentis un corps moite et velu s'appuyer contre moi. Quelqu'un avait soufflé sur la lampe et il faisait nuit noire. Je tressaillis. C'était *lui* ! Je le reconnus tout de suite à cette odeur envahissante de cigarette et de *qat*. Il puait ! Il sentait le fauve ! Sans dire un mot, il commença à se frotter contre moi.

— Je vous en supplie, laissez-moi tranquille ! haletai-je en tremblotant.

— Tu es ma femme ! À partir d'aujourd'hui, c'est moi qui décide. Nous devons dormir dans le même lit.

En un bond, j'étais debout, prête à m'enfuir. Pour aller où ? Qu'importe ! Je devais m'échapper de ce piège. Il se leva à son tour. Dans l'obscurité, je repérai un filet de lumière par la porte restée entrouverte.

---

1. Au Yémen, la résine de bois d'*oud* est fréquemment utilisée pour parfumer les intérieurs, sous forme d'encens qu'on fait brûler dans un petit pot.

La lumière des étoiles et de la lune, sans doute. Sans hésiter une seconde, je m'élançai vers la cour. Mais il me courut après.

— Au secours ! Au secours ! hurlai-je, en sanglotant.

Ma voix résonnait dans la nuit. Mais c'était comme si je criais dans le vide. Je courais dans tous les sens à en perdre haleine. J'entrai dans une première pièce, mais m'en échappai dès qu'il y pénétra. Je courus sans me retourner. Je trébuchai sur quelque chose, un morceau de verre peut-être, et je m'empressai de me redresser pour reprendre ma course. Des bras brisèrent mon élan, m'agrippèrent de toute leur force, pour finir par me traîner dans la chambre et m'écraser contre la natte. J'étais clouée au sol, comme paralysée.

— *Amma* ! *Amma*[1] ! implorai-je, en espérant obtenir un peu de solidarité féminine.

Aucune réponse. Je criai à nouveau :

— À l'aide ! À l'aide !

Il enleva sa tunique blanche. Je me roulai en boule pour me protéger. Mais il commença à tirer sur ma robe, en me demandant de me déshabiller. Puis il promena ses mains rugueuses sur mon corps, et plaqua ses lèvres contre les miennes. Il sentait tellement mauvais. Un mélange de tabac et d'oignon.

— Allez-vous-en ! Je vais le dire à mon père ! me mis-je à gémir, en tentant de m'écarter à nouveau.

— Tu pourras raconter tout ce que tu veux à ton père. Il a signé le contrat de mariage. Il m'a donné son accord pour t'épouser.

— Vous n'avez pas le droit !

— Nojoud, tu es ma femme !

— Au secours ! Au secours !

Il se mit alors à ricaner :

---

1. « Tante », pour désigner sa belle-mère.

— Je te le répète : tu es ma femme. Maintenant, tu dois faire ce que je veux ! Entendu ?

Je me sentis soudain comme happée par un ouragan, ballottée d'un tumulte à l'autre. La foudre s'abattait sur moi et je n'avais plus la force de résister. Un roulement de tonnerre. Un autre, et puis encore un autre. Le ciel tombait sur ma tête. C'est alors qu'une brûlure envahit le plus profond de mon corps. Une brûlure que je n'avais jamais ressentie auparavant. J'eus beau m'égosiller, personne ne vint à mon secours. Ça faisait mal, très mal, et j'étais toute seule face à la douleur.

— Aïe ! hurlai-je dans un dernier soupir.

Je crois que c'est à ce moment-là que je perdis connaissance.

Shada et moi.

5.
Shada

9 avril 2008

Le téléphone mobile collé à son oreille, Shada fait les cent pas dans le hall du tribunal.

— Nous devons tout faire pour arracher Nojoud des griffes de son mari ! Il faut prévenir la presse, les associations féminines… l'entends-je s'exclamer, avant de raccrocher et de se pencher vers moi, en s'accroupissant pour être à ma hauteur.

— N'aie pas peur, Nojoud, je vais t'aider à divorcer !

Jamais personne n'a été aussi attentionné à mon égard.

Shada est avocate. On dit que c'est une avocate très importante, une des plus grandes avocates du Yémen, qui se bat pour les droits des femmes[1]. Les yeux écarquillés, je la regarde avec admiration. Elle est belle, Shada. Elle est si douce. Sa voix est un peu aiguë, et si elle parle vite c'est sûrement parce qu'elle

1. En 1999, Shada Nasser s'était fait remarquer en défendant Amina Ali Abdul Latif, mariée à dix ans et condamnée à mort après avoir été accusée d'avoir tué son mari. Suite à une mobilisation sans précédent, la peine capitale fut finalement suspendue en 2005. Après quelque dix années passées derrière les barreaux, Amina a recouvré la liberté, mais elle vit cachée, par peur de la vengeance de ses beaux-parents.

est très pressée. Elle sent bon le parfum, comme celui d'une fleur de jasmin. Dès que je l'ai vue, je l'ai tout de suite aimée. Au contraire des femmes de ma famille, elle n'a pas le visage couvert. C'est rare, au Yémen, de ne pas porter le *niqab*. Shada, elle, est habillée d'un long manteau noir et soyeux. Et sur sa tête, elle se contente d'un foulard coloré. Sa peau est lumineuse, et le rouge sur ses lèvres lui donne des airs de dame chic, comme dans les films. D'ailleurs, avec ses lunettes de soleil, elle ressemble à une star de cinéma. Quel contraste avec toutes ces femmes voilées qu'on croise dans les rues !

— Avec moi, tu n'as rien à craindre, dit-elle, en me caressant le visage d'un geste rassurant.

C'est elle qui est venue vers moi, ce matin, dès qu'elle m'a reconnue. Au tribunal, on lui avait parlé de moi, au retour du week-end. Mon histoire l'a retournée. Elle a aussitôt annulé tous ses autres rendez-vous. Et elle a fait promettre au juge de la prévenir dès que je reviendrais. Elle voulait me voir, à tout prix.

— Excuse-moi, es-tu la petite fille qui est venue demander le divorce ? m'a-t-elle d'abord demandé, en m'interpellant dans la cour qui mène au tribunal.

— Oui, c'est moi, lui ai-je répondu.

— Mon Dieu ! Suis-moi, il faut absolument qu'on parle…

Il s'en est passé, des choses, ces derniers jours. J'en ai encore la tête qui tourne. Pendant tout le week-end – jeudi et vendredi au Yémen –, le juge Abdel Wahed et sa femme m'ont traitée avec une gentillesse que je n'attendais pas. J'ai eu droit à des jouets, à de bons plats, à des douches à l'eau chaude, à des câlins avant de m'endormir. Comme les vrais enfants ! À la maison, j'ai même eu la permission de retirer mon voile de femme mariée que ma belle-mère me forçait à rajuster sur ma tête dès qu'il glissait. Quel bonheur de ne pas craindre les coups de bâton, de ne pas trembler à l'idée d'aller se coucher, de ne pas sursauter au moindre bruit de porte qui claque ! Malgré toute cette attention, mes nuits sont encore très agitées. Dès que je m'endors, j'ai l'impression que l'ouragan me guette et que, si je ferme les yeux trop longtemps, la porte risque à nouveau de s'ouvrir. Et le monstre, de revenir... Quelle peur, quelle souffrance ! Le juge Abdel Wahed dit que c'est normal, et qu'il me faudra du temps pour oublier tout ce mal.

Quand il me ramena au tribunal, samedi matin, le retour à la réalité fut difficile. À 9 heures, nous étions déjà assis dans son bureau, en compagnie des deux autres juges, Abdo et Mohammad al-Ghazi, qui me sourirent gentiment en me voyant arriver. Oui mais voilà, un gros souci travaillait Mohammad al-Ghazi.

— Selon la loi yéménite, il t'est difficile de déposer une plainte contre ton père et ton mari, me dit-il.

— Et pourquoi donc ?

— C'est un peu compliqué pour une enfant de ton âge. C'est difficile à expliquer.

Puis il évoqua plusieurs obstacles. Comme beaucoup d'enfants qui naissent dans les villages, je n'ai pas de papiers d'identité, ni même de certificat de naissance. Et je suis trop jeune pour entamer une procédure... Autant de raisons faciles à comprendre pour un homme savant comme Mohammad al-Ghazi, mais pas pour moi. Je dois pourtant me résigner à voir le bon côté des choses. Au moins, me dis-je, je suis tombée sur de gentils juges, prêts à m'aider. Après tout, rien ne les oblige à s'occuper de moi. Ils auraient pu, comme beaucoup d'autres, ignorer ma requête et me conseiller de rentrer chez moi pour remplir mes devoirs d'épouse. En effet, un contrat avait été signé, et approuvé à l'unanimité par les hommes de ma famille. Selon la tradition yéménite, il est donc valable.

— Pour l'heure, poursuivit Mohammad al-Ghazi en s'adressant à ses collègues, nous devons agir vite. Je suggère donc qu'on place le père et le mari de Nojoud en détention provisoire. Ils seront mieux en prison qu'en liberté, si on veut la protéger.

La prison ! C'est une punition bien grave. *Aba* me pardonnerait-il ? Je me sentis soudain rongée par la honte et la culpabilité. En plus, quel embarras quand ils me demandèrent d'accompagner le soldat qui doit les arrêter, afin qu'il puisse localiser l'adresse ! Ma famille ne m'avait pas revue du week-end, et devait sûrement penser que, comme mon frère Fares, je m'étais enfuie pour toujours. Je ne voulais même pas imaginer la tête de ma mère quand mes petits frères et sœurs avaient dû commencer à réclamer le pain du petit déjeuner ! En plus, je me souvenais que peu de temps avant ma fuite mon père était tombé malade, il avait même commencé à cracher du sang. Pourrait-il survivre à l'incarcération ? S'il mourait, je m'en voudrais toute ma vie…

Mais je n'avais pas le choix. Lorsque les gentils souffrent, il faut punir les méchants, m'avait expliqué Abdo. Je montai donc dans la voiture du soldat. Mais quand nous sommes arrivés devant la porte, elle était fermée à double tour. Je me sentis étrangement soulagée. Et quelques heures plus tard, quand le soldat repartit là-bas, je n'eus plus besoin de l'accompagner.

Le soir même, il fut décidé de me placer dans un endroit sûr. Au Yémen, il n'existe pas de foyer d'accueil pour les filles comme moi. Je ne pouvais pas non plus m'éterniser chez Abdel Wahed, qui avait déjà été très bon pour moi.

— Quel est ton oncle préféré ? me demanda l'un des juges.

Mon oncle préféré ? Après réflexion, je ne pouvais penser qu'à Shoyi, le frère d'*Omma*, un ancien soldat de l'armée yéménite, grand et massif, aujourd'hui à la retraite, et qui a une certaine autorité sur ma famille. Il vivait à Beit Boss, un autre quartier, loin de chez nous, avec ses deux femmes et ses sept enfants. Il ne s'était pas opposé à mon mariage, c'est vrai. Mais il incarne un semblant d'ordre, et lui, au moins, il ne frappe pas ses filles.

Shoyi n'était pas très bavard, ce qui m'arrangeait bien. Il évita donc de me poser trop de questions, et me laissa jouer avec mes cousins. Le soir, avant de m'endormir, je remerciais Dieu de ne pas avoir laissé Shoyi me reprocher mon audace et d'avoir même évité de parler de ma fuite. Dans le fond, je le voyais aussi embarrassé que moi par cette histoire.

Les trois journées qui suivirent me parurent longues et répétitives. Je passais l'essentiel de mon temps au tribunal, dans l'espoir d'un miracle, d'une solution inattendue. L'horizon n'était malheureusement pas très clair. Les juges m'avaient promis de tout faire pour tenter de m'accorder le divorce, mais il leur fallait du temps. C'est drôle, à force de revenir quotidiennement dans cette grande cour noire de monde, j'avais fini par m'habituer à cette foule qui m'impressionnait tant au début. De loin, je pouvais même reconnaître les petits vendeurs de thé et de jus de fruits. Le garçon à la balance, lui, était toujours occupé à peser les visiteurs les moins pressés. Il m'arrivait désormais de lui adresser un sourire d'encouragement. Pourtant, à chaque retour au tribunal, j'avais un pincement au cœur. Combien de fois me faudrait-il faire le déplacement jusqu'ici avant de pouvoir redevenir une petite fille comme les autres ? Abdo m'avait prévenue : mon cas est exceptionnel. Mais comment font les juges face à un cas exceptionnel ? Je n'en avais aucune idée.

La réponse, je crois l'avoir enfin trouvée du côté de Shada, la belle avocate aux lunettes de soleil. Quand elle m'a accostée, ce matin, j'ai pu voir avec quelle émotion elle m'a regardée, avant de s'exclamer : « Mon Dieu ! ». Elle a alors consulté sa montre, elle a ouvert son agenda, et elle a chamboulé son emploi du temps visiblement très chargé. Puis elle s'est appliquée à appeler les uns après les autres ses proches, ses amis, ses collègues… « Je dois m'occuper d'un cas important, très important », l'ai-je entendue dire plusieurs fois. Cette femme semble disposer de réserves de patience inépuisables ! Abdel Wahed a raison. C'est une avocate impressionnante. Elle doit avoir beaucoup de pouvoir. Son téléphone mobile n'arrête pas de sonner. Et tous les gens qui la croisent la saluent toujours très poliment.

— Nojoud, tu es comme ma fille ! Je ne te laisserai pas tomber ! me glisse-t-elle dans le creux de l'oreille.

Je commence à la croire. Cette femme n'a pas de raison de mentir. Je me sens bien avec Shada. À ses côtés, j'ai l'impression d'être en sécurité. Elle sait trouver les mots justes. Sa voix chantante me réconforte. Elle me redonne un peu confiance en la vie. Le monde peut s'effondrer, je sais qu'elle me soutiendra. Avec elle, je ressens pour la première fois cette tendresse maternelle que ma mère, trop préoccupée par tous les soucis familiaux, n'a pas su, ou plutôt n'a pas pu, me donner.

Une question continue à me titiller…

— Shada ? je murmure timidement.

— Oui, Nojoud ?

— Est-ce que je peux vous demander quelque chose ?

— Bien sûr !

— Est-ce que vous pouvez me promettre que je ne retournerai jamais chez mon mari ?

— *Inch'Allah*, Nojoud. Je vais tout faire pour l'empêcher de te faire à nouveau du mal. Tout ira bien. Tout ira bien. Mais…

— Mais quoi ?

— Tu dois être forte, car cela risque de prendre du temps…

— Combien de temps ?

— N'y pense pas pour l'instant. Dis-toi que le plus dur est passé. Le plus dur, c'était d'avoir la force de t'évader, et tu as réussi cet exploit !

Devant mon soupir, Shada esquisse un sourire en me tapotant la tête. Elle est si grande et mince. Elle m'impressionne beaucoup.

— Et moi, est-ce que je peux te poser une question ? enchaîne-t-elle.

— Oui…

— Comment as-tu eu le courage de t'enfuir jusqu'au tribunal ?

— Le courage de m'enfuir ? Je ne pouvais plus supporter *sa* méchanceté… Je ne pouvais plus…

الموضوع:
التاريخ / /
Al Sabah

6.
La fuite

À Khardji, la vie était devenue impossible. Tiraillée entre la honte et la douleur, je souffrais en silence. Toutes ces choses désagréables qu'*il* me faisait subir, jour après jour, nuit après nuit, à qui en parler ? En fait, dès le premier soir, je compris que rien ne serait plus comme avant.

— *Mabrouk* ! *Mabrouk*[1] !

Les yeux rivés sur mon petit corps nu, ma belle-mère me tapote le visage pour me réveiller. Je la revois comme si c'était hier. La lumière du petit matin inonde la chambre. Au loin, le chant d'un coq. Derrière son épaule, je reconnais ma belle-sœur, celle qui a fait la route avec nous. Je suis encore en nage. J'écarquille les yeux, et je vois le désordre de la chambre à coucher. La lampe à huile a roulé jusqu'à la porte. Ma robe marron traîne sur le sol comme une vieille serpillière. *Lui*, il est là, sur la natte, à dormir comme un ours. Quel *wahesh* – quel « monstre » ! Et sur le drap complètement froissé, ce petit filet de sang…

— *Mabrouk* ! surenchérit la belle-sœur.

1. « Félicitations » en arabe.

Avec un sourire en coin, elle fixe la trace rouge. Je suis muette. Comme paralysée. Ma belle-mère se penche alors vers moi et me prend dans ses bras, comme un paquet. Pourquoi n'est-elle pas venue plus tôt, quand j'avais besoin de son aide ? Maintenant, de toute façon, c'est trop tard... À moins qu'elle ne soit complice de ce qu'*il* vient de me faire subir ? Tout en enfonçant ses mains dans mes côtes, elle pousse la porte du pied, m'emporte dans la salle de bains, une pièce étroite où se trouvent un baquet et un seau, et commence à m'asperger d'eau. Ouille, c'est froid !

— *Mabrouk* ! lâchent les deux femmes en chœur.

Leurs paroles bourdonnent à mes oreilles fatiguées. Je me sens petite, toute petite. J'ai perdu le contrôle de mon corps et de mes gestes. J'ai froid à l'extérieur, mais je brûle à l'intérieur. Il y a comme quelque chose de sali en moi. J'ai soif. Je suis en colère, mais je n'arrive pas à le dire. *Omma*, tu es trop loin pour que je t'appelle au secours. *Aba*, pourquoi m'as-tu mariée ? Pourquoi, pourquoi moi ? Et pourquoi personne ne m'a prévenue de ce qui allait m'arriver ? Qu'est-ce que j'ai fait pour mériter ça ?

Je veux rentrer chez moi !

Quelques heures plus tard, quand *il* finit par se réveiller, je détournai la tête pour ne pas croiser son regard. Il poussa un grand soupir, prit son petit déjeuner et disparut pour la journée. Recroquevillée dans un coin, je priai Dieu tout-puissant pour qu'il vienne me sauver. J'avais mal partout. J'étais terrifiée à l'idée de passer toute ma vie à côté de ce monstre ! Un piège, j'étais tombée dans un piège, et je ne pouvais pas m'en échapper...

Je dus vite m'adapter à de nouvelles règles de vie. Pas le droit de sortir de la maison, pas le droit d'aller chercher de l'eau à la source, pas le droit de me plaindre, pas le droit de dire « non ». Et l'école, plus question d'y penser. Je mourais pourtant d'envie de m'asseoir sur un banc, d'écouter la maîtresse nous apprendre de nouvelles histoires et d'aller écrire mon nom à la craie blanche sur un grand tableau noir.

Khardji, mon village natal, m'était devenu étranger. À la maison, pendant la journée, je devais obéir aux ordres de ma belle-mère : couper les légumes, nourrir les poules, préparer le thé pour les invités de passage, nettoyer le sol, laver la vaisselle. J'avais beau m'essouffler à frotter sur les casseroles noires de graisse, impossible de leur rendre leur couleur d'origine. Les torchons étaient grisâtres et sentaient mauvais. Des mouches tournaient autour de moi. Quand je m'arrêtais un instant, ma belle-mère me tirait les cheveux avec ses mains toutes graisseuses. À la fin, j'étais devenue aussi collante que la cuisine, et mes ongles étaient tout noirs.

Un matin, je demandai l'autorisation d'aller jouer avec les enfants de mon âge.

— Tu n'es pas en vacances, ici ! gronda-t-elle.

— S'il vous plaît, quelques minutes seulement…

— Pas question ! Une femme mariée ne peut se permettre d'aller fréquenter n'importe qui. Il ne manquerait plus que tu salisses notre réputation. On n'est pas dans la capitale, ici ! À Khardji, tout se sait, tout se voit, tout s'entend. Tu as donc intérêt à te tenir à carreau. Ne te risque pas à oublier ce que je t'ai dit, compris ? Sinon, j'en parlerai à ton mari.

Lui, il partait le matin et il revenait juste avant le coucher du soleil. À son retour, il se faisait servir son repas sur le *sofrah*, et il n'aidait jamais à débarrasser la table. Chaque fois que je *l'*entendais arriver, la même appréhension montait du fond de mon cœur…

Quand la nuit tombait, je savais que ça allait recommencer. Encore et encore. Les mêmes brutalités. La même brûlure. La même douleur. La même détresse. La porte qui claque, la lampe à huile qui roule au sol, les draps qui se froissent… « *Ya beint* ! » – « Hep, fille ! » –, c'est comme cela qu'*il* m'interpellait violemment avant de se jeter sur moi.

Il ne prononçait jamais mon prénom.

C'est le troisième jour qu'*il* se mit à me frapper. *Il* ne supportait pas que je tente de lui résister. Quand j'essayais de l'empêcher de se coucher sur la natte à côté de moi, dès la lumière éteinte, *il* commençait à me battre. D'abord avec ses mains. Puis avec un bâton. Le tonnerre, la foudre, encore et encore. Et sa mère l'encourageait.

— Frappe-la encore plus fort ! Elle doit t'écouter ! C'est ta femme ! ne cessait-elle de lui répéter, avec sa voix rauque, quand *il* se plaignait de moi.

— *Ya beint* ! reprenait-il de plus belle en me courant après.

— Vous n'avez pas le droit ! sanglotais-je.

— Tu me fatigues avec tes jérémiades. Je ne t'ai pas épousée pour t'entendre pleurnicher en permanence ! hurlait-il alors, en laissant entrevoir ses grosses dents jaunâtres.

Je souffrais qu'*il* me parle sur ce ton. Il me ridiculisait en public. Il était méprisant. Je vivais dans la crainte permanente de nouveaux coups de bâton et des gifles. Il lui arriva même d'en venir aux coups de poing. Chaque jour, de nouveaux bleus sur le dos, de nouvelles plaies sur les bras. Et cette brûlure dans le ventre… Je me sentais sale de partout. Quand les voisines venaient rendre visite à ma belle-mère, je les entendais chuchoter entre elles, et me montrer parfois du doigt. Que pouvaient-elles bien se raconter ?

Dès que je le pouvais, j'allais me blottir dans un coin, perdue et désemparée. Je claquais des dents en pensant à la nuit qui approchait. J'étais seule, tellement seule. Personne à qui me confier, personne à qui parler. Je *le* haïssais ! Je les haïssais profondément ! Ils me dégoûtaient tous ! Est-ce que toutes les filles mariées devaient passer par le même supplice ? Ou bien étais-je la seule à subir cette torture ? Je n'éprouvais aucun amour pour cet étranger. Mes parents en avaient-ils eu l'un pour l'autre ? Avec lui, je compris seulement le vrai sens du mot « cruauté ».

Des jours et des nuits passèrent ainsi. Dix, vingt, trente ? Je ne m'en souviens plus exactement. Le soir, je mettais de plus en plus de temps à m'endormir. La nuit, chaque fois qu'*il* venait me faire ses vilaines choses, je n'arrivais plus à trouver le sommeil. La journée, je somnolais. Perdue. Décomposée. Impuissante, je commençais à perdre la notion du temps. Sanaa me manquait. L'école me manquait aussi. Et mes frères et mes sœurs : les éternelles acrobaties d'Abdo, les pitreries de Morad, les blagues des bons jours de Mona, les comptines de la petite Rawdha. Je pensais de plus en plus à Haïfa, en espérant qu'on ne la marie pas, elle aussi. Au fil des jours, je commençai à oublier les détails de leurs visages. J'avais du mal à me remémorer la couleur de leur peau, la forme de leur nez, le pli de leurs fossettes. Il était temps que je retourne les voir !

Tous les matins, je sanglotais en suppliant qu'on me renvoie chez mes parents. Je n'avais aucun moyen de les contacter. À Khardji, l'électricité, ça n'existe pas. Alors, le téléphone, n'en parlons pas. Ici, pas d'avions qui passent dans le ciel, pas de bus, pas de voitures. J'aurais pu leur envoyer une lettre, mais à part mon prénom et quelques mots très simples je ne savais pas écrire grand-chose. Je devais retourner à Sanaa. À tout prix. Je voulais rentrer chez moi !

M'enfuir ? J'y avais pensé plusieurs fois. Mais pour aller où ? Dans le village, je ne connaissais personne. Il m'était donc difficile de me réfugier chez quelqu'un, ou de supplier un voyageur à dos d'âne de me sauver… Khardji, mon village natal, était devenu pour moi une prison.

Un matin, à force de m'entendre pleurer, *il* m'annonça qu'*il* me donnait l'autorisation d'aller rendre visite à mes parents. Enfin ! *Il* allait m'accompagner et m'attendrait chez son frère. Mais ensuite, avait-il insisté, nous devions revenir ici. Je m'empressai de rassembler mes affaires avant qu'*il* ne change d'avis.

Le retour me sembla plus rapide que l'aller. Cependant, chaque fois que je piquais du nez, les mêmes images cauchemardesques agitaient mon sommeil : la tache de sang sur le drap, le visage de ma belle-mère penché sur moi, le seau d'eau… Et tout d'un coup, je me réveillais en sursaut… Non ! Je ne reviendrais jamais. Je ne reviendrais jamais. Jamais ! Khardji, l'autre bout du monde… Je ne voulais plus y remettre les pieds !

— Il est hors de question que tu quittes ton mari !

À Sanaa, la réaction de mon père fut inattendue. Et radicale. Elle mit vite un terme à la joie des retrouvailles. Ma mère, elle, ne disait mot. Elle se contenta de murmurer, en levant les bras au ciel :

— La vie est ainsi faite, Nojoud. Toutes les femmes doivent en passer par là. Nous avons toutes vécu la même chose…

Mais pourquoi ne m'avait-elle rien dit ? Pourquoi ne m'avait-elle pas prévenue ? Maintenant que le mariage avait été prononcé, j'étais piégée, incapable de faire marche arrière. J'eus beau raconter à mes parents les douleurs de la nuit, les coups, la brûlure, et toutes ces choses personnelles et terribles dont j'avais honte de parler, ils me répétèrent qu'il était de mon devoir de vivre avec lui.

— Je ne l'aime pas ! Il me fait du mal. Il m'oblige à faire des choses désagréables qui me donnent mal au cœur. Il n'est pas gentil avec moi ! insistai-je.

— Nojoud, tu es une femme mariée, maintenant. Tu dois rester avec ton époux ! répéta mon père.

— Non, je ne veux pas ! Je veux rentrer à la maison !

— Impossible ! me coupa-t-il.

— S'il vous plaît… S'il vous plaît !

— C'est une question de *sharaf*, tu m'entends ?

— Mais…

— Tu dois écouter ce que je te dis !

— *Aba*, je…

— Si tu divorces de ton mari, mes frères et mes cousins vont me tuer ! Le *sharaf*, l'honneur avant tout. L'honneur ! Tu as compris ?

Non, je n'avais pas compris et je ne pouvais pas comprendre. Non seulement *il* m'avait fait du mal, mais ma famille, ma propre famille, prenait sa défense. Tout ça pour une question de… De quoi déjà ? D'honneur ! Mais que voulait donc dire au juste ce mot qu'ils ne cessaient tous d'utiliser ? J'étais désemparée.

Les yeux tout ronds, Haïfa comprenait encore moins que moi ce qui m'arrivait. En me voyant fondre en larmes, elle glissa sa main dans la mienne. C'était sa façon à elle de me dire qu'elle me soutenait. Soudain, une idée terrible me traversa à nouveau l'esprit : et s'ils songeaient à la marier, elle aussi ? Haïfa, ma petite sœur, ma jolie petite sœur… Pourvu qu'elle ait la chance de ne jamais vivre ce cauchemar.

À plusieurs reprises, Mona tenta de prendre ma défense. Mais sa timidité l'emporta. De toute façon, qui l'aurait écoutée ? Ici, ce sont toujours les plus grands, et les hommes qui ont le dernier mot. Pauvre Mona ! Je compris que si je voulais m'en sortir je ne pouvais compter que sur moi-même.

Le temps pressait. Je devais trouver une solution avant qu'*il* revienne me chercher. J'avais réussi à lui arracher l'autorisation de rester un peu chez mes parents. Mais je tournais en rond, sans véritable issue de secours à l'horizon. « Nojoud doit rester aux côtés de son mari », répétait mon père. Dès qu'*Aba* s'éloigna, je m'empressai d'en parler avec ma mère. Elle pleura. Elle me dit que je lui manquais, mais qu'elle ne pouvait rien faire pour moi.

Mais j'avais raison d'avoir peur. Dès le lendemain, *il* vint nous rendre visite pour me rappeler à mes devoirs d'épouse. J'essayai de m'y opposer. En vain. À force d'insister, un semblant de compromis fut finalement trouvé. *Il* accepta que je reste quelques semaines de plus à Sanaa, mais à condition de *le* suivre et d'habiter provisoirement chez son oncle. Il ne me faisait pas confiance, et avait peur que je prenne la fuite si je restais trop longtemps chez mes parents. Et pendant plus d'un mois, l'enfer reprit de plus belle…

— Quand finiras-tu de pleurnicher en permanence ? Ça devient fatigant ! se plaignit-*il* un jour, les yeux enragés, en brandissant son poing.

— Quand tu me laisseras rentrer chez mes parents ! répondis-je, enfouissant mon visage dans mes mains.

Face à mon entêtement, *il* finit par m'accorder un nouveau répit.

— Mais c'est bien la dernière fois, me prévint-*il*.

De retour à la maison, je compris qu'il ne me restait plus beaucoup de temps pour agir si je voulais me débarrasser de cet homme et éviter le cauchemar du retour à Khardji. Cinq journées passèrent. Cinq journées difficiles pendant lesquelles je ne cessai de me heurter à des murs. Ni mon père, ni mes frères, ni mes oncles n'étaient prêts à m'écouter.

À force de frapper à toutes les portes dans l'espoir de trouver une oreille attentive, j'atterris chez Dowla, la seconde femme de mon père. Elle habitait avec ses cinq enfants dans un minuscule appartement au premier étage d'un vieil immeuble situé au fond d'une impasse, juste de l'autre côté de notre rue. Portée par l'angoisse d'être renvoyée à Khardji, je montai l'escalier en me pinçant le nez pour ne pas sentir la puanteur de la pourriture mélangée à celle des ordures et des excréments qui s'évadait des cabinets communs à tous les habitants. Dans sa longue robe rouge et noir, Dowla m'ouvrit la porte avec un grand sourire.

— *Ya*, Nojoud ! Quelle surprise de te revoir. Sois la bienvenue ici ! me dit-elle.

Je l'aimais bien, Dowla. Elle avait la peau mate et de longs cheveux qu'elle nouait en tresse. Elle était grande, mince et plus belle qu'*Omma*. Dowla ne me grondait jamais. Elle débordait toujours de patience ! La pauvre femme n'avait pourtant pas été gâtée par la vie. Mariée sur le tard, à vingt ans, à mon père qui la délaissait complètement, elle avait appris à ne compter que sur elle-même. Son aîné, Yahya, huit ans, handicapé de naissance, incapable de marcher, réclamait une attention particulière. Ses crises de nerfs pouvaient durer plusieurs heures. Malgré sa grande pauvreté, qui la forçait à aller mendier dans la rue pour payer son loyer de 8 000 rials[1] par mois et pour acheter du pain pour ses enfants, Dowla était d'une incroyable générosité.

---

1. Environ 30 euros.

Elle m'invita à prendre place sur le grand lit en paille qui occupait la moitié de la pièce, juste à côté du petit réchaud où de l'eau était en train de bouillir. Bien souvent, le thé remplaçait le lait dans le biberon des petits. Pendus au mur grâce à des crochets, les sacs en plastique qui servaient de garde-manger étaient bien maigres.

— Nojoud, me dit-elle, tu m'as l'air bien soucieuse.

Je savais qu'elle faisait partie des rares membres de ma famille à s'être opposés à mon mariage mais personne n'avait voulu l'écouter. Elle, à qui la vie n'avait pas souri, avait toujours un penchant naturel pour les plus démunis qu'elle. Je me sentais en confiance, je savais que je pouvais tout lui dire.

— J'ai tellement de choses à te raconter... lui répondis-je.

Puis je lui ouvris mon cœur...

Elle fronça les sourcils en écoutant mon histoire. Elle semblait très contrariée. Pensive, elle se dirigea vers le réchaud. Puis elle fit couler le thé bouillant dans la seule tasse que Yahya n'avait pas encore cassée. Elle me la tendit en se rapprochant de moi pour me regarder droit dans les yeux.

— Nojoud... chuchota-t-elle. Si personne ne t'écoute, tu n'as qu'à aller au tribunal !

— Au quoi ?

— Au tribunal !

Le tribunal ? Le tribunal... Mais oui, le tribunal ! Comme un flash, des images surgirent dans ma tête. Des images de juges en turban, d'avocats toujours pressés, d'hommes en tunique blanche et de femmes voilées venant se plaindre pour des histoires compliquées de famille, de vol et d'héritage. Maintenant, je me souvenais du tribunal. J'en avais vu un à la télévision. C'était dans un feuilleton qu'on allait regarder, avec Haïfa, chez les voisins. Les acteurs parlaient un arabe différent de celui du Yémen. À leur accent, je crois me souvenir qu'il s'agissait d'un feuilleton koweïtien. Dans la grande salle où les plaignants se succédaient, les murs étaient blancs, et plusieurs rangées de bancs en bois marron faisaient face au juge. À un moment, on voyait arriver les criminels dans une fourgonnette dont les fenêtres étaient grillagées.

— Le tribunal... reprit Dowla. À ma connaissance, c'est le seul endroit où l'on t'écoutera. Demande à voir le juge. Après tout, c'est le représentant du gouvernement ! Il a beaucoup de pouvoir. C'est notre parrain à tous. C'est son rôle d'aider les victimes.

Dowla m'avait convaincue. À partir de cet instant, tout devint beaucoup plus clair dans ma tête. Si mes parents ne voulaient pas m'aider, eh bien je me débrouillerais seule. C'était décidé, j'irais jusqu'au bout. J'étais prête à escalader des montagnes pour ne pas me retrouver allongée, encore et encore, sur cette natte, toute seule face à ce monstre. Je serrai Dowla très fort dans mes bras, en la remerciant.

— Nojoud ?

— Oui ?

— Prends ça. Ça pourra te servir.

Elle me glissa 200 rials[1] dans le creux de la main. La totalité du petit pécule qu'elle avait réussi à récolter le matin même, en allant faire la manche au carrefour voisin.

— Merci Dowla. Merci !

Le lendemain, je me réveillai plus enthousiaste que d'habitude. Et je m'étonnais moi-même de mon nouvel état d'esprit. Comme tous les matins, je me lavai la figure. Je fis ma prière. J'allumai le petit poêle pour faire bouillir l'eau du thé. Puis j'attendis avec impatience que ma mère se lève, en jouant ner-

1. L'équivalent d'à peine 1 euro.

veusement avec mes mains. « Nojoud, me dit ma petite voix intérieure, efforce-toi de rester la plus naturelle possible, pour éviter de susciter la curiosité. »

Quand *Omma* ouvrit enfin les yeux, un peu plus tard, et qu'elle commença à dénouer le coin droit de son foulard noir dans lequel elle cache habituellement ses pièces de monnaie, je compris avec soulagement que mon dessein avait peut-être des chances de se réaliser. Si elle savait...

— Nojoud, me dit-elle en me tendant 150 rials, va donc acheter du pain pour le petit déjeuner.

— Oui, *Omma*, lui répondis-je docilement.

Je pris l'argent. J'enfilai mon manteau et mis mon foulard noir, ma tenue de femme mariée. Je fermai soigneusement la porte derrière moi. Les ruelles des alentours étaient encore à moitié vides. Je pris la première rue à droite, celle qui mène vers la boulangerie du coin, où le pain croustille tendrement quand il sort tout juste du four traditionnel. En tendant l'oreille, je reconnus, au loin, le chant du vendeur de bombonnes de gaz, qui parcourt quotidiennement le quartier à cheval sur sa bicyclette, en tirant derrière lui sa carriole.

Je m'approchais de plus en plus de la boulangerie, et je pouvais déjà humer la bonne odeur des galettes de *khobz* toutes chaudes. Je vis bientôt la silhouette de plusieurs femmes du quartier qui faisaient déjà la queue devant le *tandour*. Mais à la dernière minute je changeai de chemin, me dirigeant vers l'avenue principale du quartier. « Le tribunal, m'avait dit Dowla, tu n'as qu'à aller au tribunal. »

Arrivée sur la grande avenue, je fus soudain saisie par la peur d'être reconnue. Et si un de mes oncles passait par là ? J'en tremblais intérieurement. Pensant me protéger des regards, je remontai les pans de mon foulard sur presque tout mon visage, ne laissant apparaître que mes yeux. Pour une fois, ce *niqab* que je n'avais jamais voulu remettre depuis Khardji m'aurait été bien utile. J'évitais de me retourner, de peur d'être suivie. En face de moi, des bus attendaient le long du trottoir. Devant l'épicerie, celle qui vend des ballons en plastique, je reconnus le minibus jaune et blanc à six places qui passe tous les jours dans le quartier et qui dépose les passagers au centre-ville, non loin de la place Tahrir. « Vas-y, si tu veux divorcer, à toi de jouer ! », m'encouragea ma petite voix intérieure. Je fis la queue comme tout le monde. Les autres enfants de mon âge étaient accompagnés de leurs parents. J'étais la seule petite fille à attendre son tour toute seule. Je baissai les yeux vers le sol, pour éviter qu'on me pose des questions. J'avais la sensation d'être observée. Je craignais que quelqu'un devine ce que je projetais de faire. J'avais la terrible impression que ça pouvait se lire sur mon front.

Le conducteur descendit de son siège pour venir ouvrir la porte, en la faisant coulisser sur le côté. Soudain, ce fut la bousculade, plusieurs femmes se donnèrent des coups de coude pour prendre place à l'intérieur. Je suivis immédiatement le mouvement, n'espérant qu'une chose : disparaître au plus vite de mon quartier, avant que mes parents n'alertent la police. Je pris place au fond, sur la banquette arrière, entre une dame âgée et une plus jeune, toutes deux voilées des pieds à la tête. Prise en sandwich entre leurs corps corpulents, j'évitais ainsi qu'on me repère à travers la fenêtre, depuis la rue. Il me fallait être aussi discrète que possible. Heureusement, ni l'une ni l'autre ne me posèrent de questions.

Au moment où le moteur se mit à ronronner, je sentis mon cœur battre à toute allure. Je repensai soudain à mon frère Fares, au courage qu'il avait eu de s'enfuir de la maison, quatre ans plus tôt. Il y était arrivé, alors pourquoi pas moi ? Mais est-ce que je réalisais vraiment ce que j'étais en train de faire ?

Qu'aurait dit mon père s'il avait vu sa fille monter seule dans un bus des transports publics ? Étais-je en train de salir son honneur, comme il disait ?

La porte se referma. Trop tard pour changer d'avis. Par la fenêtre, je regardais défiler la ville : les voitures qui s'entassent dans les embouteillages du matin, les immeubles en construction, les femmes voilées de noir, les vendeurs ambulants les mains remplies de fleurs de jasmin, de paquets de chewing-gums et de mouchoirs en papier. Que Sanaa était grande et peuplée ! Mais à choisir entre le labyrinthe poussiéreux de la capitale et l'isolement de Khardji, c'était Sanaa que je préférais. Mille fois !

— Terminus ! hurla le chauffeur.

Ça y est, on était arrivés ! À peine la porte se mit-elle à coulisser que le bruit de la rue envahit le minibus. Les passagères s'empressèrent de descendre. Je fis comme elles, je les suivis, en tendant d'une main tremblotante quelques pièces de monnaie vers le conducteur pour payer ma course. Mais je n'avais aucune idée de l'endroit où se trouvait le tribunal. Et je n'osais pas poser la question à mes camarades de voyage. L'angoisse m'envahissait, me paralysait. J'avais tout simplement peur de me perdre. Je regardai à droite, puis à gauche. Au feu rouge qui ne fonctionnait pas, un agent de police s'évertuait à maintenir un semblant d'ordre au milieu des voitures en furie, le Klaxon enfoncé, qui cherchaient à se doubler de tous les côtés. Je clignai des yeux, à moitié éblouie par les puissants rayons de soleil matinaux qui perçaient le ciel bleu. Impossible de traverser, dans ces conditions. Je n'en serais pas sortie vivante. Collée contre un poteau, j'essayais de reprendre mes esprits quand mon regard se posa sur un véhicule jaune. Sauvée !

C'était un de ces nombreux taxis qui parcourent la ville du matin au soir et du soir au matin. Au Yémen, dès qu'un garçon atteint la pédale de l'accélérateur, son père lui achète un permis de conduire dans l'espoir qu'il décroche un petit boulot de chauffeur, pour aider à nourrir la famille. J'en avais déjà pris, des taxis comme ça, pour aller à Bab-al-Yemen, avec Mona.

Je me dis qu'il devait sûrement connaître toutes les adresses de Sanaa sur le bout des doigts. Je levai la main pour lui faire signe de s'arrêter. Une jeune fille seule dans un taxi, ça ne se fait pas. Mais au point où j'en étais, je me fichais bien du qu'en-dira-t-on.

— Je veux aller au tribunal ! lançai-je au chauffeur, qui me dévisagea, étonné.

Assise à l'arrière, je restai muette pendant tout le trajet. La joue gonflée de *qat*, le chauffeur était à mille lieues de se douter à quel point je lui étais reconnaissante de ne pas me poser de questions. Il était, sans le savoir, le complice silencieux de ma fugue. Le bras droit collé sur mon ventre, j'essayais discrètement de contrôler ma respiration, en fermant un peu les yeux.

— Nous y voilà !

Après un coup de frein sec, il gara sa voiture devant une grille derrière laquelle se trouvait une cour qui menait vers un imposant bâtiment. Le tribunal ! Un agent de la circulation lui fit signe de s'en aller au plus vite, car il bloquait le passage. Je m'empressai de descendre en lui donnant toute ma monnaie. Après cet exploit, je me sentis soudain follement audacieuse. Étourdie et terrifiée, c'est vrai, mais pleine d'audace ! Si Dieu le voulait, ma vie allait changer du tout au tout.

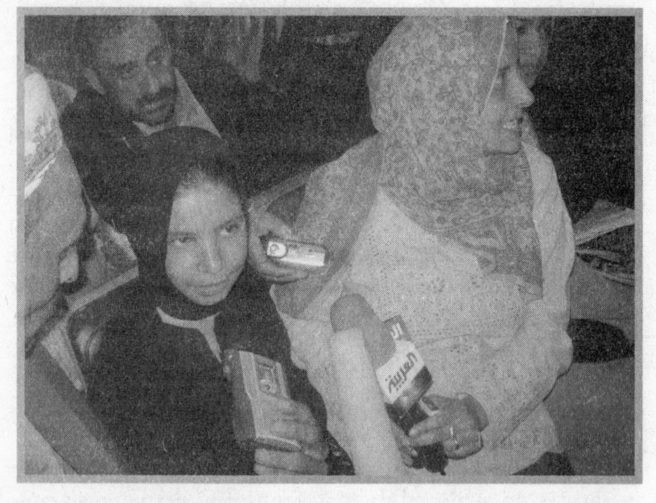

Beaucoup de journalistes sont venus assister à mon audience.

7.
Le divorce

15 avril 2008

Le grand jour est arrivé plus vite que prévu. Quelle cohue ! La salle d'audience est pleine à craquer. C'est impressionnant. Toutes ces personnes qui remplissent les bancs faisant face au pupitre du juge sont-elles venues rien que pour moi ? Shada m'avait prévenue. Les préparatifs risquaient de prendre beaucoup de temps. Mais son opération médiatique a porté ses fruits. Et dans ce tribunal noir de monde, elle semble aussi surprise que moi ! Une semaine, je pense, s'est écoulée depuis notre première rencontre. Une semaine à contacter les journaux, les télévisions et les associations féminines... Et voilà le résultat. Un miracle ! Je n'ai jamais vu autant d'appareils photo et de caméras de ma vie. Ma respiration s'accélère. Est-ce le manque d'oxygène à cause de tous ces visages qui m'encerclent ou tout simplement le trac ? Sous mon voile noir, je suis en nage.

— Nojoud, un sourire ! hurle un photographe, en jouant des coudes pour se glisser jusqu'à moi.

À peine m'a-t-il approchée qu'une colonne d'appareils photo se forme devant moi. Il y a même des caméras vidéo ! Je rougis. C'est intimidant, tous ces flashs. En plus, dans la foule, je ne distingue personne de ma connaissance. Tous ces visages qui me regardent… Je m'accroche à Shada. Son odeur me rassure. L'odeur de jasmin, désormais familière. Shada, c'est ma seconde mère !

— *Khaleh*[1] Shada ?

— Oui, Nojoud.

— J'ai peur.

— On va y arriver. On va y arriver, me chuchote-t-elle.

Jamais je n'aurais imaginé susciter autant d'intérêt. Moi, victime silencieuse pendant de si longs mois, soudain propulsée sur le devant de la scène, face à tous ces journalistes. Shada m'avait pourtant promis qu'ils ne viendraient pas, qu'on serait entre nous, tout simplement. Qu'est-ce que je vais bien pouvoir leur raconter s'ils se mettent à me poser des questions ? On ne m'a jamais appris à répondre aux questions.

— Shada ?

— Oui, Nojoud ?

— Avec tous ces flashs, j'ai l'impression de ressembler… à George Bush, le grand Américain qu'on voit souvent à la télévision.

Elle sourit.

— Ne t'en fais pas… dit-elle.

Je fais semblant de sourire à mon tour. Mais au fond de moi-même je suis comme paralysée. Je me sens incapable de bouger, avec l'étrange impression de sentir mes pieds vissés au sol. Mais je comprends que si j'ai peur, c'est parce que je suis devant un grand point d'interrogation. Le divorce, comment ça se passe, au juste ? J'ai oublié de demander à Shada. À l'école, on ne m'a jamais parlé de ces choses-là. Avec Malak, ma meilleure amie, on se disait pourtant toujours tout. Mais rien là-dessus. On pensait, peut-être, qu'il était réservé aux adultes, et que nous étions

1. « Tante » en arabe.

justement trop petites pour nous préoccuper d'histoires de grandes personnes. Maintenant, je ne sais même pas si mes institutrices étaient mariées ou divorcées... Je n'ai jamais pensé à le leur demander. Il m'est donc bien difficile de comparer mon histoire à celle des autres femmes de mon entourage.

Et puis, comme un flash qui fait mal à la tête, une pensée effrayante me traverse l'esprit : et si le monstre disait tout simplement « non » ? Que répondre, en effet, s'il décide de s'opposer à notre séparation, s'il se met à menacer le juge avec son *jambia*, épaulé par ses frères et par les hommes du village ? Qui sait...

— Rassure-toi, tout ira bien... reprend Shada, en me tapotant l'épaule.

Je lève la tête pour mieux la regarder. Je crois qu'elle n'a pas dû beaucoup dormir la nuit passée. Sous ses yeux, de petites poches se sont creusées. Elle semble épuisée. Je suis gênée, parce que c'est à cause de moi, tout ça. Et pourtant, même fatiguée, elle est toujours aussi belle et élégante. Une vraie dame de la ville ! Tiens, je remarque que son foulard a changé de couleur. Il est rose, comme sa tunique, une de mes couleurs préférées ! Aujourd'hui, elle porte une longue jupe grise avec des souliers à talons. Heureusement qu'elle est là, à mes côtés.

Soudain, dans la foule, j'aperçois une main qui s'agite dans ma direction. C'est Hamed Thabet, le reporter du *Yemen Times* ! Enfin quelqu'un que je reconnais. Hamed, c'est mon nouvel ami. Un vrai grand frère, pas comme Mohammad. C'est une connaissance de Shada qui nous l'a présenté. Il est grand et brun, un visage rond, avec des épaules carrées, et sa gentillesse m'a tout de suite touchée.

Je ne sais pas quel âge il a exactement. Je n'ai pas osé lui demander. On s'est rencontrés il y a quelques jours, dans la cour du tribunal, presque là où Shada m'avait croisée, peu de temps avant.

Il m'a d'abord demandé s'il pouvait me prendre en photo, et ensuite nous sommes allés nous asseoir dans un petit restaurant, tout près du tribunal. Il a sorti son stylo et son carnet de notes, et il m'a posé plein de questions : sur mes parents, sur mon mariage, sur Khardji, sur la première nuit... J'ai rougi de honte en lui racontant mon histoire. Mais quand j'ai vu sa grimace, au moment où je lui décrivais la trace de sang sur le drap, j'ai compris qu'il compatissait. Je l'ai même vu donner discrètement des coups sur la table avec son stylo. Même s'il cherchait à cacher ses émotions, je n'ai pas pu m'empêcher de remarquer sa peine. Il était furieux, il avait mal pour moi, ça se voyait.

— Mais tu es si petite ! Comment a-t-il pu ?... avait-il murmuré.

C'est étrange. Cette fois, je n'avais pas pleuré. Après quelques minutes de silence, j'avais continué :

— Je voulais jouer à l'extérieur, comme tous les enfants de mon âge. Mais il me battait et il me forçait à retourner dans la chambre avec lui, et à faire les vilaines choses qu'il me demandait... Pour me parler, il utilisait toujours des gros mots...

Quand nous nous étions dit au revoir, le carnet de Hamed était noirci de lignes d'écriture. Il avait pris note du moindre détail. Il avait ensuite réussi à se glisser dans la prison, pour prendre des photos d'*Aba* et du monstre, avec son téléphone mobile. Quelques jours plus tard, Shada m'apprit que son article avait été publié et qu'il avait fait beaucoup de bruit au Yémen. Hamed, c'est le premier journaliste à avoir révélé mon histoire au grand jour. J'étais gênée, c'est vrai. Mais aujourd'hui, je sais que je lui dois beaucoup.

À l'entrée de la salle d'audience, les caméras se mettent à chahuter.

Un frisson traverse mon corps. Je reconnais *Aba* et… le monstre escortés par deux soldats en képi noir et en uniforme vert olive. Ils ont l'air furieux. En passant devant nous, le monstre baisse les yeux, puis se retourne soudain vers Shada.

— Vous êtes fière de vous, hein ? Je n'ai pas eu de vraie fête pour mon mariage. Mais là, vous nous en avez préparé une, de fête ! lui lance-t-il.

Comment ose-t-il lui parler ainsi ? Ce que je redoutais est en train de se produire. Shada, elle, reste étonnamment calme. Elle ne baisse même pas les yeux. Cette femme a une force de caractère qui m'impressionne. Elle n'a pas besoin de gesticuler dans tous les sens pour exprimer ses sentiments. Il suffit d'observer son regard pour y lire tout le mépris qu'elle éprouve pour *lui*. Son regard, c'est tout. J'ai beaucoup appris avec elle, ces derniers jours.

— Ne l'écoute pas, me dit-elle.

J'ai beau essayer de contrôler mes sentiments, comme Shada, je n'y arrive pas. En tout cas, pas encore. Rien à faire, mon cœur palpite. Après tout ce qu'*il* m'a fait, je *le* hais tellement ! En relevant la tête, mon regard croise celui d'*Aba*. Il semble si contrarié. Il faut que j'arrive à me raisonner, mais j'ai peur qu'il m'en veuille toute sa vie. L'honneur, disait-il. L'honneur. À voir son visage, je commence à comprendre ce que ce mot si compliqué veut dire. Dans ses yeux, je peux voir qu'il est fâché et honteux à la fois. Toutes ces caméras qui se tournent vers lui… Je lui en veux tellement, mais je ne peux m'empêcher d'avoir pitié de lui. C'est plus fort que moi. Le respect des hommes, c'est important ici.

— Quelle pagaille ! lance un agent de l'ordre. On n'a jamais vu le tribunal aussi bondé !

Les flashs des appareils photo viennent à nouveau de s'enclencher. Quelqu'un d'important est arrivé. C'est Mohammad al-Ghazi, le juge en chef du tribunal. Je parviens à le repérer grâce à son turban blanc noué derrière la tête. Il a une moustache fine et une petite barbe. Sur sa tunique blanche, il porte une veste grise. À la taille, il arbore fièrement la *jambia*, le traditionnel couteau recourbé de sa tribu.

Je ne le quitte pas des yeux. Seconde après seconde, je suis le moindre de ses gestes. Je le regarde se glisser derrière son pupitre, envahi par les microphones des chaînes de télévision et de radio. Je le regarde s'asseoir. Je le regarde déposer ses dossiers devant lui. On croirait que c'est le président de la République qui s'apprête à parler. Le juge Abdo le rejoint et vient prendre place sur le fauteuil d'à côté. Heureusement qu'ils sont là pour me soutenir ! Je n'en crois toujours pas mes yeux.

— Au nom de Dieu le Tout-Puissant et le Miséricordieux, je déclare la séance ouverte, lance al-Ghazi, en nous invitant à nous rapprocher de son pupitre.

Shada me fait signe de la suivre. À notre gauche, *Aba* et le monstre s'avancent aussi. Je sens la foule grouiller derrière nous. Une partie de moi-même se sent étonnamment forte. Mais l'autre partie, que je n'arrive pas à contrôler, serait prête à tout pour être, juste à cet instant, une petite souris. Les bras croisés, je m'efforce de tenir bon.

C'est ensuite au tour du juge Abdo de prendre la parole :

— Nous voici face au cas d'une petite fille qui a été mariée sans son consentement. Une fois le contrat de mariage signé à son insu, elle a été emmenée de force dans le gouvernorat de Hajja. Là-bas, son mari a abusé sexuellement d'elle, alors qu'elle n'avait même pas atteint l'âge de la puberté et qu'elle n'était pas prête pour ce genre de relation. Non seulement il a abusé d'elle, mais il l'a frappée et insultée. Elle se trouve ici, aujourd'hui, pour demander le divorce...

Le grand moment arrive, celui que j'attendais tant. Le moment de la punition des fautifs. Comme à l'école quand l'institutrice nous envoyait au coin... Pourvu que je gagne contre le monstre, pourvu qu'*il* accepte le divorce !

Mohammad al-Ghazi donne quelques coups sur la table avec un petit marteau en bois.

— Écoute-moi bien, lance-t-il en s'adressant à l'être répugnant que je hais plus que tout. Tu as épousé cette petite fille il y a deux mois, tu as couché avec elle, tu l'as frappée. Est-ce que c'est vrai, oui ou non ?

Le monstre cligne des yeux, puis répond :

— Non, ce n'est pas vrai ! Elle et son père étaient d'accord avec ce mariage.

Ai-je bien entendu ? Comment... ose-t-il ? Quel menteur ! Je le déteste !

— As-tu couché avec elle ? As-tu couché avec elle ? répète Ghazi.

Un silence de plomb a envahi la salle.

— Non !

— L'as-tu frappée ?

— Non... Je n'ai jamais été violent avec elle.

J'agrippe le manteau de Shada. Comment peut-il être si sûr de lui, avec ses dents jaunes, son sourire de travers et ses cheveux en bataille ? Comment peut-il raconter tant de mensonges si facilement ? Je ne peux pas le laisser faire. Il faut que je dise quelque chose :

— Il ment !

Le juge griffonne quelques phrases sur une feuille. Puis son regard se tourne vers mon père.

— Étiez-vous d'accord avec ce mariage ?

— Oui.

— Quel âge a votre fille ?

— Ma fille a treize ans.

Treize ans ? On ne m'a jamais dit que j'avais treize ans ! Depuis quand j'ai treize ans ? Je croyais que j'en avais neuf ou dix au maximum ! Je joue avec mes mains pour me calmer. Puis je tends à nouveau l'oreille.

— J'ai marié ma fille parce que j'avais peur, reprend mon père. J'avais peur…

Ses yeux sont rouges de sang. Peur ? Peur de quoi ?

— Je l'ai mariée par crainte qu'elle se fasse enlever, comme ses deux grandes sœurs… poursuit-il en levant les poings vers le ciel. Un homme m'a déjà pris deux filles ! Il les a kidnappées. C'est déjà trop. Il se trouve aujourd'hui en prison.

Je ne comprends pas très bien ce qu'il raconte. Ses réponses sont vagues et compliquées. Quant aux questions que pose le juge, elles deviennent de plus en plus incompréhensibles. À mon âge, j'ai des difficultés à comprendre ce charabia. Des mots, des mots, et encore des mots. D'abord doux, ensuite durs, comme des pierres qu'on lance contre un mur. Et qui volent en éclats. Peu à peu, le rythme s'accélère. Le ton monte. J'entends les accusés réagir. La salle bourdonne. Mon cœur bat de plus en plus fort. Le monstre murmure quelque chose d'inaudible à l'attention de Mohammad al-Ghazi, qui donne quelques coups de marteau sur sa table.

— À la demande du mari, la séance va se poursuivre à huis clos, annonce-t-il.

Il nous fait signe de le suivre dans une autre pièce, à l'abri du public. Je me sens plus tranquille, loin de cette foule. Après tout, ces histoires sont très personnelles. Mais là-bas, les questions reprennent. Je dois tenir le coup.

— Monsieur Faez Ali Thamer, avez-vous consommé le mariage, oui ou non ? demande le juge.

Je retiens ma respiration.

— Oui, répond-il. Mais j'ai été tendre avec elle... J'ai fait attention... Je ne l'ai pas battue.

Sa réponse m'explose à la figure, faisant ressortir tous les coups, les brimades, les souffrances. « Comment ça, pas battue ? Et tous ces bleus sur les bras, et toutes ces larmes versées à force d'avoir mal ? Tu dois réagir ! » me dit ma petite voix. Je suis hors de moi.

— C'est faux ! je hurle.

Tous les regards se tournent vers moi. Mais je suis la première étonnée par cette spontanéité qui ne me ressemble pas.

À partir de là, tout s'enchaîne très vite. Le monstre est noir de colère. *Il* dit que mon père *l*'a trahi en lui mentant sur mon âge. *Aba* s'énerve à son tour. Il dit qu'il avait été convenu d'attendre que je sois plus grande avant qu'*il* puisse me toucher. Et là, le monstre annonce qu'*il* est prêt à accepter le divorce, mais à une condition : que mon père lui rembourse la dot ! *Aba* rétorque qu'aucune somme ne lui a jamais été versée. On se croirait au marché ! Combien ? Quand ? Comment ? Qui dit vrai ? Qui dit faux ? Quelqu'un suggère que 50 000 rials[1] lui soient versés, si cela peut permettre de clore le dossier. Je suis perdue. Qu'on en finisse avec toutes ces histoires ! Qu'on me laisse tranquille, une fois pour toutes ! J'en ai assez de ces querelles de grands qui font souffrir les enfants ! Stop !

C'est finalement le verdict du juge qui vient me sauver.

1. La somme de 50 000 rials (environ 194 euros) équivaut à peu près à quatre mois de salaire d'un ouvrier yéménite.

— Le divorce est prononcé ! annonce-t-il.

Le divorce est prononcé ! Je n'en crois pas mes oreilles. C'est étrange, cette envie subite de courir et de hurler pour exprimer ma joie ! Je suis si heureuse que je ne prête même pas attention au fait que le juge vient d'annoncer que mon père et le monstre vont être relâchés. Sans amende à payer et sans promesse de bonne conduite à signer !

Pour le moment, je veux savourer pleinement ma liberté retrouvée. En sortant de la petite pièce, je vois que la foule est toujours là. Plus bruyante que jamais !

— Un mot pour les caméras, un petit mot ! crie un journaliste.

Autour de lui, les gens se poussent pour me voir. Ils applaudissent. Un orchestre de « *Mabrouk* ! » bourdonne à mes oreilles.

Derrière moi, j'entends quelqu'un murmurer que je suis sûrement la plus jeune divorcée du monde.

Les cadeaux se mettent alors à pleuvoir. Ému par mon histoire, un homme me glisse une liasse de 150 000 rials dans les mains ! Il dit être le représentant d'un donateur saoudien. Je n'ai jamais touché autant de billets de ma vie.

— Cette fille est une héroïne. Elle mérite une récompense ! lance-t-il.

Un autre homme parle d'une Irakienne qui veut m'offrir de l'or.

Les flashs crépitent tout autour de moi. Les journalistes m'encerclent. Dans la foule, un de mes oncles se lève et interpelle Shada :

— Vous avez sali la réputation de notre famille ! Vous avez entaché notre honneur !

Shada se retourne vers moi.

— Il dit des bêtises, me glisse-t-elle.

Elle me prend par la main et me fait signe de la suivre. Après tout, je n'ai plus rien à craindre de mon oncle, puisque j'ai gagné ! Gagné ! Je suis divorcée !

Et le mariage, plus jamais ça ! C'est étrange, cette légèreté, cette impression de retrouver tout d'un coup mon enfance...

— *Khaleh* Shada ?

— Oui, Nojoud ?

— J'ai envie de nouveaux jouets ! J'ai envie de manger du chocolat et des gâteaux !

En guise de réponse, elle m'offre un sourire.

C'est la première fois qu'on me fait des cadeaux.

8.
L'anniversaire

C'est donc ça, le bonheur. Depuis que je suis sortie du tribunal, il y a quelques heures, une chose étonnante m'arrive. Dans la rue, le bruit des embouteillages ne m'a jamais paru aussi doux. En passant, tout à l'heure, devant une épicerie, j'ai pensé à une grosse glace à la crème et je me suis dit : « J'en mangerais bien une deuxième, et même une troisième... » À la vue d'un chat, au loin, j'ai eu envie de courir vers lui pour le caresser. Mes yeux pétillent, comme s'ils découvraient pour la première fois les moindres petites beautés de la vie. Je me sens heureuse. C'est le plus beau jour de ma vie.

— Comment me trouvez-vous, Shada ?

— Belle, très belle !

Pour célébrer ma victoire, Shada m'a offert des vêtements tout neufs. Dans mon nouveau sweat-shirt rose et mon blue-jean délavé, brodé de papillons multicolores, j'ai l'impression d'être une nouvelle Nojoud. Avec mes longs cheveux bouclés rassemblés en chignon et décorés d'un ruban vert, je me sens bien. Surtout que j'ai eu le droit de me débarrasser de mon voile noir, et du coup tout le monde peut me complimenter sur ma coiffure.

Nous avons rendez-vous au *Yemen Times* avec Hamed et quelques journalistes. Haut de trois étages, le bâtiment est impressionnant. Devant la porte, un garde en uniforme surveille les allées et venues. Comme dans les villas des quartiers chic de Sanaa que j'aime dessiner. Tout étourdie, je monte une à une les marches du grand escalier en marbre en me tenant à la rambarde en bois. Je remarque que les fenêtres sont si propres que les rayons du soleil viennent se refléter sur les murs blancs en formant de petits cercles jaunes. Une bonne odeur de cire flotte dans l'air.

C'est Nadia, la directrice du *Yemen Times*, qui m'accueille au deuxième étage en me serrant dans ses bras. Je n'aurais jamais pensé qu'une femme puisse diriger un journal. Comment son mari peut-il accepter ça ? Devant mon étonnement, Nadia rit aux éclats.

— Viens, suis-moi, me dit-elle.

Nadia pousse une porte, juste derrière son grand bureau lumineux, qui s'ouvre sur une chambre d'enfant. Des petits coussins mêlés à des jouets jonchent le sol.

— Ça, c'est la pièce de ma fille, m'explique-t-elle. Parfois, je l'amène avec moi au journal. Comme ça, je peux à la fois être une maman et continuer à travailler.

Une pièce rien que pour sa fille ! L'univers qui s'ouvre à moi est tellement différent du mien. J'ai presque l'impression de débarquer d'une autre planète. C'est intimidant et fascinant à la fois.

Les surprises ne font que commencer. Quand Nadia m'invite à la suivre dans ce qu'elle appelle la « salle de rédaction », je découvre, avec étonnement, que la plupart des journalistes sont des femmes. Certaines sont vêtues de noir de la tête aux pieds. Les rares fois où elles soulèvent leur *niqab*, c'est pour prendre une gorgée de thé. D'autres portent des foulards orange ou rouges, d'où dépassent quelques mèches blondes, et qui mettent en valeur leurs yeux bleus et leurs visages blancs comme le lait. Leurs ongles sont longs et vernis. Celles-ci parlent l'arabe avec un drôle d'accent. Elles doivent être étrangères – américaines ou allemandes ? – et peut-être mariées à des hommes yéménites. Elles ont sûrement fait de longues études à l'université pour en arriver là. Et, comme Shada, elles conduisent sans doute leur propre voiture quand elles viennent au travail.

Je les imagine en train de boire du café et de fumer des cigarettes, comme dans les séries télévisées. Peut-être même qu'elles se mettent du rouge sur les lèvres quand elles sortent dîner en ville. L'une d'entre elles est en pleine conversation téléphonique. Un coup de fil très important, certainement. Je tends l'oreille et je me laisse bercer par sa douce langue. De l'anglais, j'imagine. Un jour, moi aussi, je parlerai l'anglais.

Je ne me lasse pas de les observer. Je suis particulièrement ébahie par leur capacité à se concentrer en tapant sur des machines, tout en gardant les yeux collés à des téléviseurs qui ornent chacun des bureaux en bois clair. Travailler en pouvant regarder *Tom et Jerry*, quelle acrobatie et quel luxe !

— Nojoud, ce sont des ordinateurs ! s'exclame alors Hamed, en voyant mon étonnement.

— Des quoi ?

— Des ordinateurs ! Des machines connectées à des claviers et qui te permettent d'écrire des articles et d'envoyer des lettres. Tu peux même y ranger des photos.

Des machines permettant d'envoyer des lettres et de ranger des photos... Non seulement ces femmes ont beaucoup d'allure, mais en plus elles sont très modernes. J'essaye de m'imaginer à leur place dans dix ou vingt ans. Avec des ongles vernis et un stylo entre les mains. Je me verrais bien journaliste. Ou avocate ? Ou peut-être les deux ? Avec mon ordinateur, j'enverrai des lettres à Hamed et Shada. Je travaillerai dur, c'est certain ! J'aurai un métier qui me permettra d'aider les gens qui souffrent et de leur offrir une vie meilleure.

La visite des locaux s'achève sur la salle de réunion, « celle des événements importants », m'explique Nadia.

— Bravo, Nojoud ! lance une voix masculine.

— Nojoud a gagné, Nojoud a gagné ! enchaînent alors plusieurs personnes en chœur, dans un brouhaha continu.

À peine ai-je eu le temps de passer la grande porte que je me retrouve au milieu d'une trentaine de visages, les yeux écarquillés, tous tournés vers moi. Des applaudissements résonnent dans la salle. Ils sont accompagnés de clins d'œil, de sourires en demi-lune et de baisers qui s'envolent. Je me pince la main droite pour m'assurer que je ne rêve pas. Oui, tout cela est réel. Aujourd'hui, l'« événement important », c'est bien moi…

Des cadeaux commencent à pleuvoir ! Hamed, le premier, me tend un énorme ours en peluche rouge, si grand qu'il m'arrive presque aux épaules. Sur son ventre rond, il porte un grand cœur, décoré de signes que je n'arrive pas à lire.

— C'est écrit *I love you*, m'explique Hamed. En anglais, ça veut dire « je t'aime ».

Je ne sais plus où donner de la tête avec les autres paquets qui me sont tendus de tous les côtés. Alors que je dénoue un à un les rubans, les surprises s'enchaînent : un petit piano électrique, des crayons de couleur, des carnets pour dessiner, une poupée

Fulla, comme celles qu'il y avait chez le juge Abdel Waheb.

Je cherche mes mots pour exprimer ma gratitude, mais je n'en trouve qu'un :

— *Shokran*[1] !

Et je fais à tous un grand sourire.

Nadia m'invite alors à découper le gâteau. Il est au chocolat, mon parfum préféré ! Avec cinq cerises rouges sur le dessus, pour décorer. Un souvenir me revient soudain : celui de mes escapades sur l'avenue Hayle, en compagnie de Mona. Combien de fois alors avais-je imaginé, le visage collé aux vitrines des boutiques, une fête de mariage avec des cadeaux et des robes de soirée ? Il n'en a pas été ainsi.

Comparée aux rêves, la réalité est parfois bien cruelle. Mais elle peut aussi réserver de belles surprises.

Aujourd'hui, je comprends enfin le mot « fête ». Si c'était un dessert à manger, il serait sucré, croquant, et peut-être aussi un peu moelleux à l'intérieur. Comme mes bonbons préférés à la noix de coco.

— La fête du divorce, c'est vraiment mieux que la fête du mariage ! dis-je en serrant mon gros ours en peluche dans mes bras.

— À l'occasion de cette fête bien particulière, que pouvons-nous chanter pour toi, Nojoud ? me demande Nadia.

— Je ne sais pas...

J'hésite un peu.

Shada, elle, a une idée :

— Et si on chantait « Bon anniversaire » ? suggère-t-elle.

---

1. « Merci » en arabe.

— « Bon anniversaire » ? C'est quoi, un anniversaire ? je demande un peu étonnée.

— L'anniversaire, c'est quand on célèbre le jour de la naissance de quelqu'un.

— Oui, mais il y a un problème...

— Quel problème ?

— Le problème, c'est que... je ne sais pas quand je suis née...

— Eh bien, justement. À partir d'aujourd'hui, ce jour de fête sera celui de ton anniversaire ! s'exclame-t-elle.

Des applaudissements envahissent la salle.

— Bon anniversaire, Nojoud ! Bon anniversaire !

J'ai envie de rire aux éclats. C'est si simple d'être heureux, quand on est bien entouré.

Au parc avec Mona. Sous sa niqab elle a retrouvé le sourire.

9.
Mona

Juin 2008

Mon divorce a transformé ma vie. Je ne pleure plus. Je fais de moins en moins de cauchemars. Comme si toutes ces épreuves m'avaient endurcie. Quand je sors dans la rue, il arrive que les femmes du voisinage m'interpellent en me félicitant et en criant : « *Mabrouk* ! » – un mot sali par de mauvais souvenirs, mais que j'aime à nouveau entendre. Des femmes que je ne connais même pas ! Je rougis, mais au fond de moi je suis si fière !

Je me sens plus forte. L'oreille toujours tendue, je parviens même à mieux comprendre tous ces mystères qui planent sur ma famille, sur mes sœurs et mes frères. Sur Mona, particulièrement. Comme un puzzle compliqué qui se reconstitue peu à peu…

— Attendez-moi, je vous accompagne ! hurle Mona en courant après la voiture.

Ce jour-là, Eman, une activiste qui se bat pour les droits des femmes, est venue me rendre visite à la maison, accompagnée d'une journaliste étrangère. Depuis peu, j'ai quitté la demeure de mon oncle et je suis retournée vivre chez mes parents. Les foyers pour filles victimes de violences familiales, ça n'existe pas dans mon pays. Après tout, ça fait du bien d'être chez soi. C'est vrai que j'en veux toujours à *Aba*. Mais lui aussi, il a ses raisons d'être fâché contre moi. En fait, c'est comme si on faisait tous semblant d'avoir oublié ce qui s'est passé. Pour l'instant, c'est mieux ainsi.

Mes parents viennent de déménager dans un autre quartier, Dares, qui se trouve sur la route de l'aéroport. La maisonnette n'est pas très spacieuse. Elle ne compte que deux petites pièces, décorées de simples coussins plaqués contre les murs. La nuit, on y est souvent réveillé par le bruit des avions qui s'apprêtent à atterrir dans le coin. Mais, au moins, je sais qu'ici je peux garder un œil sur Haïfa. Pour la protéger. Si quelqu'un ose venir la demander en mariage, je m'y opposerai immédiatement. Je dirai : « Non ! C'est interdit ! ». Et si personne ne m'écoute, j'appellerai la police ! Au fond de ma poche, je garde précieusement le téléphone que m'a offert Hamed. Un téléphone mobile tout neuf, comme celui de Shada, qui me permet de l'appeler à tout moment.

Mohammad, mon grand frère, n'est pas content. Depuis la séance du tribunal, il élève souvent la voix contre Haïfa et moi. Il prend mon père à partie en lui disant que tout ce remue-ménage autour de notre famille n'est vraiment pas bon pour notre réputation. Il est jaloux, j'en suis sûre. Ça se voit aux grimaces qu'il fait chaque fois qu'un journaliste vient frapper à la porte. À ma grande surprise, mon histoire a rapidement fait le tour de la planète. Toutes les semaines, de nouveaux reporters débarquent de pays aux noms aussi exotiques que la France, l'Italie ou… l'Amérique. Rien que pour moi !

— Avec tous ces étrangers qui viennent rôder dans le quartier, Nojoud est en train de semer la honte autour de notre famille ! a-t-il lancé à Eman, dès qu'elle est arrivée chez nous ce matin.

— C'est elle qui devrait avoir honte de vous ! lui a-t-elle aussitôt répondu.

« Bravo Eman », a dit ma petite voix. Mohammad n'a pas trop su quoi répondre. Il s'est contenté d'aller se terrer dans un coin du salon principal. Et moi, avant qu'il s'oppose à ma sortie, je me suis empressée d'aller mettre mon foulard noir, en attrapant Haïfa par la main pour qu'elle m'accompagne, pour qu'elle ne reste pas seule face à la colère de Mohammad. Haïfa, ma protégée, je ne la laisserai jamais tomber. Eman nous avait promis de nous emmener au parc d'attractions. Je n'y avais jamais mis les pieds de ma vie. Un événement à ne pas rater ! On était déjà dans la voiture quand Mona nous a rattrapées au galop.

— Mohammad a ordonné que je vous accompagne ! nous dit-elle, essoufflée.

Mona semble gênée, mais insistante. Elle dit qu'elle ne nous laissera pas partir sans elle. Nous comprenons qu'il vaut mieux se plier aux ordres du grand frère. Le *niqab* calé sur son visage, Mona se glisse devant, juste à côté du chauffeur. Je crois comprendre le petit manège. Vexé, Mohammad a sûrement décidé de se venger en envoyant ma sœur m'espionner. Mais je découvre vite que la pauvre Mona a d'autres intentions en tête, que j'étais vraiment loin d'imaginer…

Une fois en route, elle nous dit que, avant d'aller au parc, elle voudrait faire un détour par notre ancien quartier, Al-Qa. Quelle étrange idée ! Mohammad lui a-t-il confié une mission particulière ? Confuse devant son insistance, Eman finit par accepter. À force de naviguer de rue en rue, nous arrivons devant une mosquée.

— Stop ! lance Mona au chauffeur.

Je ne l'ai jamais vue aussi agitée. La voiture s'arrête net. À l'entrée, sur les marches de la mosquée, une main tendue vers les passants s'échappe d'un long voile noir tout fripé, à l'affût de la moindre pièce de monnaie. Dans l'autre main est posée la joue d'une petite fille endormie, engoncée dans une robe pleine de taches, les cheveux en pagaille. Je crie :

— C'est Monira !

Monira, la fille de Mona, ma petite nièce ! Mais que fait-elle ici, dans les bras d'une mendiante au visage invisible, enveloppée de noir du haut en bas ?

— Depuis que mon mari est en prison, ma belle-mère a exigé la garde de Monira, murmure Mona, à l'étonnement général.

Et elle reprend :

— Elle dit qu'avec un enfant il est plus facile d'amadouer les passants…

Je reste bouche bée. Monira, petite poupée délicate, condamnée à faire la manche dans les bras d'une vieille belle-mère en guenilles ? Le mari de Mona derrière les barreaux ? Et quoi encore ? C'est donc lui, l'homme en prison, auquel *Aba* faisait allusion au tribunal… Mona, je le vois aussitôt, est trop occupée à embrasser tendrement sa fille, après l'avoir arrachée de son présentoir voilé, pour nous donner des explications.

— Elle me manque tellement… Je vous la ramène, c'est promis… promis, l'entends-je dire à la dame en noir, avant de s'enfoncer à nouveau dans la voiture, sa petite de trois ans au creux de ses bras.

Une odeur de renfermé envahit soudain la voiture. Monira est si sale qu'on a du mal à deviner la couleur de ses chaussures.

La porte de la voiture claque et nous repartons. La petite est tellement contente de nous revoir toutes que nous en oublions presque notre étonnement de l'avoir retrouvée dans de telles circonstances.

Le chauffeur met le cap sur le sud-ouest de la ville. En chemin, nous passons devant une autre mosquée, en cours de construction. On dirait un château tant elle est grande et somptueuse. Le front plaqué contre la vitre, j'en admire les six minarets géants. Ils sont impressionnants. Eman m'explique que c'est notre président qui l'a fait construire pour l'équivalent de 60 millions de dollars. Moi qui ne sais compter que jusqu'à 100, je me dis qu'il s'agit sûrement d'une très grosse somme. Une pensée me traverse l'esprit : la vie est bizarrement faite, non ? D'un côté, des mosquées aux allures de palais. De l'autre, des mendiants qui n'ont rien à manger. Il faudra qu'un jour je demande à Shada de m'expliquer.

Pour l'instant, c'est l'histoire de Mona qui occupe mon esprit. Arrivée au parc, elle nous ouvre son cœur, petit à petit...

— C'est une longue histoire, commence-t-elle avec un soupir, en laissant Monira partir se cacher derrière un buisson, Haïfa à sa suite.

Eman et la journaliste ont pris place en face d'elle. Elles se sont toutes les trois assises en tailleur à l'ombre d'un arbre. Je tends l'oreille.

— Mohammad, mon mari, a été emprisonné quelques semaines avant le mariage de Nojoud... On l'a retrouvé dans la chambre à coucher avec ma grande sœur, Jamila. Cela faisait un petit moment que j'avais des soupçons. Pour avoir la conscience tranquille, j'ai fait venir des gens qui les ont surpris en flagrant délit. Ça a vite dégénéré en bataille. La police est arrivée et elle a embarqué Mohammad et Jamila. Depuis, ils croupissent tous les deux en prison. Je ne sais pas pour combien de temps...

Mona baisse les yeux, tandis que je la regarde avec étonnement, sans trop savoir quoi dire. J'ai du mal à saisir toute la gravité de ce qu'elle raconte, mais son histoire semble terrible.

— Au Yémen, l'adultère est un crime passible de la peine de mort, murmure alors Eman.

— Oui, je sais, reprend Mona. C'est sûrement pour ça que Mohammad fait aujourd'hui pression pour que je signe un papier permettant de « couvrir » l'affaire, en faisant croire que nous étions divorcés avant son arrestation... Je refuse d'aller lui rendre visite en prison, mais c'est le message qu'il m'a fait passer. Pas question de céder ! Il ne s'en sortira pas comme ça, cette fois ! Il m'a suffisamment fait souffrir...

Je n'ai jamais vu Mona aussi bavarde. Tandis qu'elle parle, ses mains s'agitent et ses yeux pétillent dans l'encadrement de son *niqab*, qui cache le reste de son visage. J'ai le cœur tout noué rien qu'à écouter sa voix qui tremblote. Et pourtant, soudain, un fou rire inattendu nous emporte toutes. Accroupie derrière le buisson, Monira vient de baisser sa culotte et un petit filet clair arrose l'herbe jaunie par le soleil.

— Monira ! gronde Mona, retrouvant des gestes maternels, tout en esquissant un sourire.

Mais ses yeux s'assombrissent à nouveau.

— Monira, ma fille chérie... Je suis condamnée à élever seule mes deux enfants, à condition bien sûr que ma belle-mère me laisse les voir. Mohammad, lui, n'a jamais été un bon père. Et il n'a pas non plus été un bon mari...

Elle marque un silence puis continue :

— Je devais avoir à peu près l'âge de Nojoud quand on m'a forcée à l'épouser... Ma famille et moi coulions des jours heureux à Khardji. Jusqu'à ce « jour noir » qui a tout chamboulé...

Je plisse les yeux et je me rapproche doucement pour mieux écouter. Je crois que j'en ai déjà trop entendu pour mon âge. Mais maintenant, je veux absolument connaître la fin de l'histoire. C'est ma sœur, après tout, et c'est bizarre, je me sens responsable d'elle.

— *Omma* venait de partir à Sanaa pour se faire soigner d'urgence. Elle avait de gros problèmes de santé, et les médecins lui avaient conseillé d'aller voir un spécialiste dans la capitale. Comme d'habitude,

Aba était sorti tôt pour s'occuper de son troupeau. J'étais restée seule à la maison avec mes petits frères et Nojoud, qui n'était qu'un bébé... Un jeune homme que je ne connaissais pas s'est approché de la maison. Il devait avoir la trentaine. Il a commencé à me faire des avances... J'ai eu beau essayer de le chasser, il a fini par me pousser dans la chambre. J'ai résisté. J'ai hurlé. J'ai dit « non ». Mais...

Elle s'interrompt.

— Quand *Aba* est rentré, c'était trop tard. Tout s'était passé très vite...

Je n'en crois pas mes oreilles ! Pauvre Mona. Elle aussi... Ces yeux toujours sévères, ce regard déprimé entre deux fous rires nerveux... C'était donc ça.

— *Aba* était furieux. Il s'est empressé d'ameuter notre entourage pour comprendre ce qui s'était passé. Il a accusé les villageois d'un complot. Mais, aux alentours, personne ne voulait rien entendre. Informé de l'affaire, le cheikh du village n'a rien trouvé de mieux que de nous marier à la va-vite, avant que les mauvaises rumeurs se répandent de maison en maison, de vallée en vallée. Pour sauver l'honneur ! Il disait qu'il valait mieux étouffer cette histoire au plus vite.

» Moi, on ne m'a pas demandé mon avis. On m'a collé une robe bleue et je suis devenue son épouse du jour au lendemain. Entre-temps, *Omma* est rentrée au village. Elle levait les mains au ciel, elle s'en voulait d'être partie. *Aba* avait honte. Il voulait se venger. Il disait que c'était la faute des voisins, que quelqu'un lui voulait sûrement du mal pour s'être attaqué à sa descendance. Il se sentait humilié, trahi. Un soir, ils se sont tous réunis. Ils ont discuté. Le ton est monté. Ils ont commencé à s'insulter et à sortir les *jambias*. Un peu plus tard – le soir ou le lendemain, je ne sais plus très bien –, les voisins sont revenus avec des revolvers. Ils nous ont menacés, en nous ordonnant de partir au plus vite... Mes parents ont pris la route pour Sanaa. Avec mon mari, on est partis se réfugier ailleurs pendant quelques semaines, avant de finalement rejoindre la famille dans la capitale.

Je tremble en dedans. Le départ précipité pour Sanaa... La colère de mon père... La tristesse de Mona et son étonnante attention à mon égard... C'était donc ça.

— Des années plus tard, quand mon père nous a annoncé que Nojoud allait se marier, j'en fus malade. Je n'arrêtais pas de le supplier de réfléchir, en lui disant que Nojoud était trop jeune. Mais il ne voulait rien entendre. Il disait qu'une fois mariée elle serait protégée des kidnappeurs et des hommes qui rôdent dans le quartier... Il disait qu'il avait déjà eu suffisamment de soucis, à cause de moi et de Jamila... Quand les hommes de la famille se sont réunis pour signer le contrat de mariage, il ont même parlé d'offrir, dans le cadre d'un *sighar*, un « mariage échange », la sœur de l'époux à Fares, s'il finissait par rentrer, un jour, d'Arabie Saoudite...

» Le soir des noces, je n'ai pas pu m'empêcher de pleurer en voyant Nojoud perdue dans cette robe trop grande pour elle. Elle était bien trop jeune ! J'en ai versé, des larmes ! En espérant la protéger, je suis même allée parler à son mari. Je lui ai fait jurer devant Dieu de ne pas la toucher, d'attendre qu'elle atteigne l'âge de la puberté, de la laisser jouer avec les enfants de son âge. Il m'a répondu : « C'est promis. » Mais il n'a pas tenu parole... C'est un criminel ! Les hommes sont tous des criminels. Il ne faut pas les écouter. Jamais... Jamais...

Je n'arrive pas à détacher mon regard du *niqab* de Mona. Comme j'aimerais, à cet instant même, pouvoir observer les moindres traits de son visage caché sous ce grillage noir, voir les larmes que j'imagine en train de couler sur ses joues. J'ai honte de l'avoir soupçonnée de vouloir nous espionner... Si seulement j'avais su ! Toutes ces souffrances pendant tant d'années, endurées sans protester, sans élever la voix, sans se plaindre, sans se réfugier sous une aile protectrice. Mona, ma grande sœur, prisonnière d'un destin encore plus tragique que le mien, piégée dans un labyrinthe infecté de problèmes. Son enfance lui a été volée. Comme moi. Mais je comprends à cet instant que, contrairement à Mona, j'ai eu la force de me rebeller contre mon destin et la chance de trouver de l'aide.

— Mona ! Nojoud ! Regardez-nous ! Regardez-nous !

Nous levons la tête. Assise sur une balançoire, la petite Monira calée entre ses genoux, Haïfa rit aux éclats. Mona se lève et je la suis. La balançoire d'à côté est libre.

— Nojoud, aide-moi à m'envoler, me dit-elle.

Mona s'assied sur la balançoire. Je grimpe derrière elle, debout, en posant mes pieds de chaque côté du siège en bois et en saisissant à pleines mains les deux cordes. Je commence à faire onduler mon corps. En avant. En arrière. En avant. En arrière. De plus en plus vite.

La balançoire s'élance.

— Encore, Nojoud, encore ! s'enthousiasme Mona.

Le vent fouette mon visage. Quelle fraîcheur ! Mona part dans un grand fou rire. Son cœur est léger. Son corps est léger. C'est la première fois que je l'entends rire de manière si naturelle. Et c'est la première fois que nous faisons de la balançoire ensemble ! J'ai l'impression de flotter dans le vent comme une plume. Qu'il est bon, ce goût de l'innocence retrouvée...

— *Omma* vole ! *Omma* vole ! rigole Monira juste à côté.

Mona pousse des petits cris de joie. Elle ne veut plus s'arrêter.

Au bout de quelques minutes, mon foulard finit par céder à la pression de l'air. Pour la première fois, je n'ai pas le réflexe de le replacer aussitôt. Mes cheveux se déversent sur mes épaules et font des vagues dans le vent. Je me sens libre. Libre !

Ma famille (de gauche à droite) :
Mohammed, Omma, moi, Aba, Haïfa, Morad,
Assil, Rawdha, Khaled et Abdo.

10.
Le retour de Fares

Août 2008

J'ai mangé une « bizza ». C'était il y a quelques jours, dans un restaurant très moderne où les serveurs portent une casquette sur la tête et prennent les commandes en hurlant dans un microphone.

Quel drôle de goût ! C'était croquant sous la dent, comme une grande galette de *khobz,* avec plein de bonnes choses à manger sur le dessus : des tomates, du maïs, du poulet et des olives. À la table d'à côté, il y avait des dames en foulard qui ressemblaient à celles du *Yemen Times*. Elles étaient élégantes et se servaient même d'un couteau et d'une fourchette pour glisser les morceaux dans leur bouche.

J'ai essayé de les imiter, en coupant ma « bizza » avec mes couverts. Au début, ça n'a pas été facile. J'en ai mis partout. Haïfa, elle, avait repéré une fille qui vidait une bouteille de jus de tomate piquant au-dessus de son assiette. Elle aussi, elle a voulu essayer. Sauf que, dès les premières bouchées, sa gorge s'est enflammée et ses yeux sont devenus tout rouges. Heureusement qu'un des serveurs a fini par se décoller de son microphone pour lui apporter une grande bouteille d'eau !

Depuis, c'est devenu un jeu entre nous. Quand on aide *Omma* à préparer le repas, on se prend pour les clientes d'une « bizzeria » qui viennent choisir leurs plats préférés.

— Que puis-je vous servir ? me lance Haïfa, en dressant le *sofrah* dans la pièce principale.

— Voyons voir, aujourd'hui, ce sera une « bizza » au fromage, dis-je.

En fait, j'ai dit « fromage » parce que, en fouillant tout à l'heure dans le sac de provisions, j'ai constaté que c'est tout ce qui nous reste à manger. Tant pis, on fera avec.

— À table ! annonce Haïfa, en invitant le reste de la famille à nous rejoindre.

Mais à peine avons-nous entamé notre maigre repas que des coups répétés retentissent à la porte.

— Nojoud, tu attends encore des journalistes ? me demande Mohammad d'un air soupçonneux.

— Non, pas aujourd'hui…

— Alors, c'est peut-être le camion à eau pour remplir la citerne. Mais d'habitude, il vient le matin…

Il se lève en fronçant les sourcils, tout en continuant à mâcher son bout de pain. Puis, d'un pas pressé, il se dirige vers la porte en fer. Qui peut bien venir nous rendre visite à cette heure-ci, en pleine torpeur du mois d'août ? En période de grosse chaleur, les visites se font habituellement en fin de journée.

Son cri ne tarde pas à nous faire tous sursauter.

— Fares ! hurle-t-il. Fares est de retour !

Je me sens défaillir. Fares, mon frère tant aimé que je n'ai pas revu depuis quatre ans ! Tout en se tenant au mur de ses mains tremblotantes, ma mère titube jusqu'à l'entrée. Dans un élan général, nous lui emboîtons le pas, tandis que la petite Rawdha cherche à nous devancer en se glissant entre nos jambes. Jamais notre minuscule couloir ne m'a paru si long.

Le jeune homme qui se tient à la porte a la peau brunie par le soleil et les joues creuses. Comme il a changé ! Grand et mince, Fares n'est plus l'adolescent de la photo que j'ai tant de fois contemplée dans ses moindres détails, par crainte d'oublier son visage. Je dois désormais lever les yeux très haut pour pouvoir l'observer de plus près. Son regard s'est durci, et son front est traversé de quelques lignes sombres, comme celles d'*Aba*. C'est un homme, maintenant.

— Fares ! Fares ! Fares ! gémit ma mère, en s'accrochant à sa tunique blanche pour l'enlacer très fort.

— Tu nous as tellement manqué, dis-je en l'embrassant à mon tour.

Droit comme un pic, Fares reste muet. Il a l'air épuisé. Son regard est vide. Presque triste. Où est passée cette fougue qui lui allait si bien ?

— Fares ! Fares ! répète Rawdha comme un automate, sans vraiment comprendre que ce grand monsieur est son grand frère parti de chez nous quand elle n'était encore qu'un tout petit bébé de rien du tout.

Depuis son rapide coup de fil d'Arabie Saoudite, deux ans après sa fugue, il nous avait laissés sans nouvelles. Jusqu'à cet appel inattendu, un soir du mois dernier. Quand *Omma* avait reconnu sa voix, à l'autre bout de la ligne, elle avait hurlé de joie. Nous nous étions alors arraché le téléphone des mains, les uns après les autres, pour pouvoir l'écouter. Il semblait loin, très loin, mais ça m'avait réchauffé le cœur de le savoir en vie.

— Tout va bien pour toi, là-bas ? s'était empressé de lui demander mon père d'une voix brisée, au bord des larmes.

Aba avait alors tout voulu savoir sur Fares. Pour qui travaillait-il ? Se plaisait-il là-bas ? Gagnait-il bien sa vie ? En guise de réponse, mon frère s'était contenté de répéter plusieurs fois la même question qui semblait l'obséder :

— Et vous, comment ça va ?

En prononçant sa phrase, il avait mis l'accent sur le « vous », avant de poursuivre :

— Je me fais beaucoup de souci pour ma famille. J'ai entendu des choses... S'il vous plaît, dites-moi que tout va bien...

Il était inquiet. Ça s'entendait. Fares s'était-il douté de quelque chose ? Il nous expliqua que, là-bas, des rumeurs circulaient sur notre famille. Tout là-bas, dans cette Arabie Saoudite si lointaine que je ne savais même pas la situer sur une carte. Des voyageurs yéménites lui avaient raconté que nous avions eu des problèmes. Ils n'avaient pas donné de détails. Et puis, un jour, Fares avait vu une photo de mon père et moi dans un journal local. Après des années d'école buissonnière – il avait abandonné ses études à la fin de la première année –, il était bien incapable de lire l'article qui allait avec. Du coup, cette mystérieuse histoire n'arrêtait pas de titiller son esprit. Au point qu'il ne pouvait plus dormir.

Des rumeurs colportées par des voyageurs... Une photo dans un journal... La nouvelle de mon divorce avait bel et bien dépassé les frontières de mon pays. Face à l'insistance de Fares, *Aba* s'était empressé de lui faire un résumé des derniers mois.

— Maintenant, je comprends un peu mieux, avait répondu mon frère.

— Fares, mon fils, s'il te plaît, rentre à la maison ! l'avait supplié ma mère, en reniflant.

— Je ne peux pas, j'ai du travail... avait-il répondu, avant que la ligne soit coupée.

La conversation téléphonique avait dû durer une dizaine de minutes. Mais elle avait suffi à replonger *Omma* dans le désespoir le plus total. Les jours suivants, son humeur changea. Elle qui avait repris goût à la vie depuis mon divorce s'irritait à nouveau pour un oui ou pour un non. Elle voulait revoir son fils, le sentir, le toucher. Elle n'en pouvait plus de voir notre famille éternellement menacée par les fugues des uns et les enlèvements des autres. Pourquoi le sort s'acharnait-il toujours sur elle ? N'avait-elle pas le droit d'être un tout petit peu heureuse, elle aussi, comme d'autres mamans ?...

Elle refit des cauchemars et s'imagina qu'elle ne reverrait jamais Fares. Elle pensait qu'il avait décidé d'abandonner à jamais sa famille, et qu'il nous avait appelés juste pour se donner bonne conscience. La nuit, ses insomnies recommencèrent. À la regarder, j'en avais le cœur brisé. Mon divorce m'avait ouvert les yeux sur beaucoup de choses, et j'étais maintenant plus sensible au malheur des autres.

Et là, en cette journée chaude et lourde, voilà mon Fares de retour ! Beaucoup plus calme et silencieux que le Fares imprimé dans ma mémoire. Mais ces sourcils épais et ces cheveux bouclés sont bien ceux de mon frère. Je veux tout savoir sur lui. Son patron l'a-t-il bien traité ? S'est-il fait de nouveaux amis, en Arabie Saoudite ? Au fait, on doit sûrement manger de bonnes « bizzas » là-bas ?

Ma mère refuse de le lâcher. Elle le tire par le bras jusqu'au petit salon. Fares, lui, n'est pas très bavard. D'un geste lent, il retire ses chaussures avant de s'avachir sur un coussin. Je ne le quitte pas des yeux. En un éclair, *Omma* lui apporte un verre de *chaï*, dont il s'empresse de boire quelques gorgées.

— Alors, raconte un peu... insiste mon père.

Fares repose son petit verre sur le *sofrah*.

— En quatre ans, je n'ai rien pu économiser. Je suis désolé... Si seulement j'avais su... murmure-t-il, en baissant la tête.

Un silence envahit à nouveau la pièce. Puis son visage se détend peu à peu, laissant transparaître un semblant de sourire.

— Tu te souviens, *Aba* ? Je t'en voulais tellement, ce jour-là, de m'avoir crié dessus quand j'étais rentré bredouille après être allé mendier du pain chez le boulanger. J'étais rongé par la honte, j'en avais assez d'aller quémander des sous à droite à gauche. Je rêvais de nouveaux pantalons, comme les garçons de mon âge. Mais à la maison on avait tout juste de quoi s'acheter à manger. Le lendemain, je me suis réveillé avec la folle envie de ne dépendre que de moi-même. Je voulais réussir, gagner de l'argent décemment et m'acheter les vêtements que je voulais. Je suis donc parti en me promettant de ne revenir ici que le jour où j'aurais des billets plein les poches...

Il marque une pause pour avaler une gorgée de thé avant de reprendre son récit :

— Dans le quartier, il y avait des voisins qui parlaient d'opportunité de travail en Arabie Saoudite. On disait que là-bas on peut gagner sa vie, et même envoyer des sous au pays pour aider sa famille. C'était exactement ce qu'il me fallait ! Je voulais tenter l'aventure. Je débordais d'ambition. Je n'avais rien à perdre... J'étais jeune et insouciant. Je n'aurais jamais imaginé que ce serait aussi difficile.

» Il m'a fallu quatre jours pour arriver en Arabie Saoudite. J'ai d'abord pris un taxi collectif en direction de Saada, une ville au nord-ouest du Yémen. La route était truffée de postes de contrôle de l'armée, et là j'ai commencé à réaliser que le voyage serait long et pénible. Arrivé à Saada, j'ai fait la connaissance d'un passeur qui m'a proposé de me faire traverser la frontière pour 5 000 rials[1]. C'était cher, mais, au point où j'en étais, je n'allais pas rebrousser

1. Environ 19 euros.

chemin. Au moins, c'était un habitué. Il disait qu'il connaissait les chemins pour ne pas se faire attraper par les gardes frontières. Comme je n'avais aucun papier d'identité sur moi, mieux valait compter sur ses services.

— On s'est tellement inquiétés ! On pensait que tu avais disparu pour toujours, l'interrompt *Aba*.

Plongé dans ses souvenirs, Fares poursuit sa narration sans prêter attention à la remarque paternelle.

— Nous avons traversé la frontière à pied et en pleine nuit. Je n'ai jamais eu si peur de ma vie. En chemin, je croisais d'autres Yéménites, certains plus jeunes que moi. Comme moi, ils ne savaient pas vraiment ce qui les attendait de l'autre côté, et ils n'avaient qu'une idée en tête : aller faire fortune. C'est en marchant dans le noir que j'ai fini par prendre conscience du risque réel que je courais. Si j'étais repéré par les soldats, ils me renverraient aussitôt à Sanaa…

» Mon soulagement en arrivant de l'autre côté de la frontière a vite été dissipé par la confusion qui s'ensuivit. Où aller ? C'était la première fois que je mettais les pieds dans un pays étranger. Fatigué, j'ai continué à marcher, jusqu'à arriver aux alentours de la ville de Khamiss Mousheid. Quelle déception ! Cette partie de l'Arabie Saoudite n'a rien à envier à Sanaa. Un homme à qui je m'étais adressé pour demander mon chemin m'a offert de m'héberger pour la nuit. Il habitait en pleine campagne avec sa femme et ses enfants.

» Le lendemain, quand il m'a proposé de m'embaucher, j'ai aussitôt accepté. Je n'avais pas vraiment d'autre choix. Il disposait d'un élevage de moutons et m'a nommé à la tête d'un troupeau de six cents animaux que je devais quotidiennement emmener en pâture avec l'aide d'un autre berger, originaire du Soudan. Je travaillais douze heures par jour, de 6 heures du matin à 18 heures. Le soir, je partageais ma chambre avec le Soudanais, dans une minuscule maison en pierre, perdue au milieu de nulle part, garnie seulement de deux petits matelas. Il n'y avait ni télévision, ni réfrigérateur, ni toilettes, ni air conditionné. J'étais déçu...

Fares marque encore une pause pour avaler sa salive. Sa voix commence à se casser. La fatigue du voyage, sûrement.

— À partir de là, les déceptions n'ont cessé de s'enchaîner, poursuit-il. Chaque jour, le patron devenait plus exigeant. Il fallait nourrir les bêtes, leur donner à boire, les emmener dans les champs. Les journées de travail ne cessaient de s'allonger. Il m'a fallu un mois pour prendre conscience de la précarité de ma situation en recevant mon premier salaire : 200 rials saoudiens[1] pour trente jours de travail, de quoi me payer des bonbons à l'épicerie du coin... qui appartenait, ironie de l'histoire, à mon patron !

» J'étais désemparé. En faisant un rapide calcul dans ma tête, j'ai compris qu'il me faudrait travailler pendant un an au moins pour espérer rassembler l'argent nécessaire pour rentrer à Sanaa. Je n'avais pas de quoi vous passer un coup de fil. En plus, j'étais trop fier pour admettre mon échec. La première fois que je vous ai appelés, c'était seulement pour vous faire croire que tout allait bien. La deuxième fois, deux ans plus tard, c'est parce que j'étais très inquiet...

Il baisse la tête, gonfle la poitrine et pousse un long soupir.

— Une fois le téléphone raccroché, je n'ai pas pu m'empêcher de penser aux larmes d'*Omma*, à l'autre bout de la ligne. Je n'en dormais plus de la nuit. J'ai compté mes sous. J'avais tout juste de quoi payer

1. Environ 38 euros.

mon retour à Sanaa. Un matin de la semaine dernière, je suis allé voir mon patron pour lui faire mes adieux. Ma décision était prise. Il était temps de rentrer à la maison.

— Et maintenant, que comptes-tu faire ? lui demande Mohammad.

— Eh bien, je vais faire comme les autres, je vais vendre des chewing-gums dans la rue, répond-il, d'un ton résigné.

Comme il a changé ! Fares, autrefois si ambitieux, aujourd'hui prêt à se ranger du côté des vaincus. Comme un coloriage que j'aurais espéré indélébile, je revois encore son regard effronté lorsqu'il tenait tête à mon père. Je me remémore ses bêtises, qui énervaient *Aba* mais qui me faisaient bien rire. L'autre jour, s'il avait été avec nous à la « bizzeria », il aurait été le premier à faire des avions en papier avec les serviettes du restaurant, pour les envoyer sur la table d'à côté. C'est en pensant à sa fougue que j'avais eu la force, au mois d'avril, de m'enfuir au tribunal. Sa fuite m'avait donné le courage de voler de mes propres ailes. J'ai l'impression d'avoir une dette envers lui.

Fares vaincu, non, ça ne lui ressemble pas. Je n'aurais jamais imaginé qu'il puisse baisser les bras. Jamais. J'en ai mal au cœur. Un jour, il faudra que je trouve le moyen de l'aider à mon tour. Je ne sais pas vraiment comment, mais je finirai bien par trouver.

Mon grand retour à l'école.

11.

Quand je serai avocate…

16 septembre 2008

Le vent souffle sur Sanaa. C'est un vent de fin d'été, celui qui annonce le retour des soirées fraîches et des premières gouttes de pluie. Mes petits frères et sœurs vont pouvoir, à nouveau, aller jouer dans les flaques d'eau avec les enfants du quartier. Dehors, les arbres vont bientôt jaunir et les vendeurs ambulants de couvertures vont réapparaître aux carrefours.

Pour moi, ce vent, c'est enfin celui de la rentrée des classes, le moment que j'attendais tant. J'ai eu du mal à fermer l'œil cette nuit. Avant de m'endormir, j'ai pris soin de remplir mon nouveau sac à dos en toile marron de cahiers tout neufs. Sur un bout de papier, je me suis entraînée à écrire mon nom. Et celui de Malak. J'ai pensé très fort à mon ancienne camarade de classe. Malheureusement, cette rentrée se fera sans elle, car je suis inscrite dans une nouvelle école.

Dans mon sommeil, j'ai vu des cahiers blancs, des crayons de couleur et plein de petites filles de mon âge tout autour de moi. Depuis quelques semaines, les cauchemars se sont enfin arrêtés. Je ne me réveille plus en nage, les yeux mouillés, la bouche pâteuse, en pensant à la porte qui claque et à la lampe à huile qui se renverse. À la place, je rêve d'école. Comme un vœu qu'on prononce très fort, en espérant qu'il finira par se réaliser.

Quand j'ai ouvert les yeux, ce matin, j'ai d'abord senti mon cœur palpiter. Puis je me suis levée sur la pointe des pieds pour aller me brosser les dents et passer un coup de peigne dans mes cheveux. Autour de moi, toutes les femmes de la famille dormaient encore, allongées en enfilade, à même le sol, dans la petite pièce du fond. Dans le salon d'à côté, la pièce des hommes, on pouvait entendre les mouches voler. Avant de mettre mon nouvel uniforme d'écolière – une longue robe verte et un foulard blanc –, j'ai longtemps laissé couler l'eau froide sur mon visage.

— Haïfa, réveille-toi, on va être en retard !

Les cheveux ébouriffés et la moitié du visage aplatie par son oreiller, ma petite sœur a du mal à émerger de son sommeil. Pendant que je me précipite à la porte pour guetter l'arrivée du taxi, *Omma* l'aide à s'habiller et à mettre ses chaussures. Haïfa ne trouve plus son foulard. Tant pis, elle en mettra un autre, un peu taché, c'est vrai, mais on fera mieux demain. Assis derrière son volant, le chauffeur est déjà là. C'est une association humanitaire internationale qui l'a envoyé ; elle prend en charge notre scolarité et nos frais de déplacement.

— Vous êtes prêtes ?

— Oui.

— Alors, allons-y !

Mon cœur bat encore plus vite. Je m'empresse d'attraper mon sac, que j'accroche fièrement à mes épaules. Avant de monter dans la voiture, nous embrassons *Omma*. Agrippée à sa robe, la petite Rawdha nous fait « au revoir » de la main, avant d'exploser de rire. Elle vient de repérer un troupeau de moutons qui passe au loin. Notre nouvelle petite maison en ciment, coincée au fond d'une impasse en terre battue, se trouve derrière une usine Coca-Cola et un champ à moitié en friche où les bergers viennent faire paître leurs troupeaux au lever du jour.

Assises côte à côte sur la banquette arrière, Haïfa et moi échangeons un sourire complice en entendant le moteur démarrer. Nous restons silencieuses, mais nous savons toutes les deux qu'à cet instant même nous sommes follement heureuses. Et anxieuses. J'ai tellement attendu le jour où je pourrais enfin faire de nouveaux dessins, apprendre l'arabe, le Coran, les mathématiques ! Quand j'ai été forcée de quitter l'école, en février, je savais compter jusqu'à 100. Maintenant, je veux apprendre à compter jusqu'à 1 000 000 !

Le visage collé contre la fenêtre, je jette un coup d'œil vers le ciel tout bleu. Ce matin, le vent a chassé les nuages. Dehors, les rues sont étonnamment vides. Les commerçants n'ont pas encore levé leurs rideaux de fer. Le vieux voisin qui râle tout le temps à force de voir défiler des journalistes devant notre porte n'est, pour une fois, pas sorti de sa maison pour nous épier du haut de ses marches. À la boulangerie du coin, fermée à double tour, personne ne fait la queue. Cette année, chose exceptionnelle, la rentrée des classes coïncide avec le ramadan. Et la moitié de la ville dort encore.

C'est la première fois que je jeûne, comme les grands, entre la prière du matin et celle du soir. Les premiers jours, ça n'a pas été facile, surtout à cause de la chaleur qui rend la gorge sèche et qui donne très soif. Au début, j'ai même cru que j'allais m'évanouir. Mais j'ai vite appris à aimer ce long mois de recueillement et de fête, pendant lequel on vit différemment du reste de l'année. Quand, en fin d'après-midi, le soleil se cache derrière les maisons, nous mangeons des dattes, du *shorba*, une soupe à base d'orge, et des *floris*, des petits beignets aux pommes de terre et à la viande. Ce sont des plats propres au ramadan. Le soir, nous veillons très tard – parfois jusqu'à 3 heures du matin ! La nuit, les restaurants sont pleins à craquer, et les néons des boutiques de vêtements et de jouets restent allumés pendant de longues heures. En centre-ville, non loin de Bab-al-Yemen, il est presque impossible de circuler.

En me réveillant une première fois ce matin, vers 5 heures, pour la première prière de la journée, j'ai remercié Dieu de ne pas m'avoir abandonnée ces derniers mois. Je lui ai demandé de m'aider à réussir ma deuxième année d'école primaire et à rester en bonne santé. J'ai aussi prié pour qu'il aide *Aba* et *Omma* à gagner de l'argent, pour que mes frères arrêtent d'aller mendier dans la rue, et pour que Fares retrouve son sourire d'avant. Si seulement on pouvait rendre l'école obligatoire pour tous les enfants, cela empêcherait que les garçons comme lui soient contraints d'aller vendre des chewing-gums aux feux rouges. J'ai aussi pensé très fort à Jad, mon grand-père, en me disant qu'il me manquait, mais que tout là-haut il devait être fier de moi.

Le taxi vient de s'engouffrer dans l'avenue principale, celle qui mène vers l'aéroport. Une fois franchi le poste de contrôle de l'armée[1], nous bifurquons à droite, et nous passons devant plusieurs maisons en ciment. Leurs toits plats sont décorés d'antennes

---

1. Au cours de ces derniers mois, l'augmentation de la menace de groupes terroristes se revendiquant d'Al-Qaida a poussé les autorités à augmenter le nombre de postes de contrôle, en particulier sur la route menant à l'aéroport.

paraboliques en forme d'assiette creuse. Peut-être qu'un jour nous aussi on aura la télévision. Le chauffeur appuie sur un bouton qui ouvre automatiquement les fenêtres arrière. Au loin, j'entends des petites filles chanter. Plus nous avançons, plus la mélodie se rapproche.

— Nous voilà arrivés, annonce le chauffeur en se garant devant une grande porte en fer noire.

Le trajet a duré à peine cinq minutes. Un frisson d'excitation et d'appréhension parcourt tout mon corps. Maintenant, le chant des filles est si proche que j'en reconnais les paroles – une vieille comptine que j'ai dû apprendre l'année dernière. Derrière la porte, c'est ma nouvelle école.

— Bonjour Nojoud !

Shada ! Quelle surprise ! Je me jette dans ses bras en la serrant très fort. Elle a tenu à venir assister à ce grand jour. Si elle savait à quel point je suis rassurée de retrouver un visage familier !

La porte s'ouvre sur une grande cour en gravier qu'encadrent une dizaine de salles de classe aux murs de brique grise, disposées sur deux étages. Toutes les filles portent le même uniforme que moi, vert et blanc. Je ne connais personne. C'est intimidant. Shada me présente à la principale, Njala Matri, une femme voilée de noir dont je n'aperçois que les yeux.

— *Kifalek*[1], Nojoud ?

Le timbre de sa voix est à la fois doux et plein d'assurance. Elle nous invite à la suivre dans son bureau, situé au fond de la cour. Un pot de fleurs en plastique trône sur la nappe rouge de la table de réunion, et le mur principal est tapissé d'un grand poster du président Ali Abdallah al-Salih. Derrière un bureau, une institutrice tape sur le clavier d'un

1. « Comment vas-tu ? » en arabe yéménite.

ordinateur. La porte refermée, Njala Matri soulève le *niqab* qui lui recouvre le visage. Comme elle est belle ! Ses yeux sont bleu-gris. Et sa peau est d'un blanc couleur lait.

— Nojoud, tu es la bienvenue ici. Cette école, c'est comme ta maison.

Je commence à me détendre un peu. Elle nous explique que l'établissement, financé essentiellement grâce à des donations d'habitants du quartier, accueille chaque année environ mille deux cents élèves et qu'on en compte entre quarante et cinquante par classe. Ici, insiste-t-elle, les enseignantes sont à l'écoute des petites filles, et si l'on en éprouve le besoin, on a même le droit de venir les voir à la fin du cours pour leur poser des questions un peu plus personnelles.

En l'écoutant, je sens mon cœur s'alléger. L'école, j'ai bien cru que je n'arriverais jamais à y retourner. Une institutrice s'était d'abord opposée à mon inscription :

— Vous comprenez, ce n'est pas une fille comme les autres... Hum... Elle a quand même eu des relations... hum... avec un homme... Ça peut influencer ses camarades, avait-elle chuchoté à Shada quand nous avions visité l'établissement.

Shada avait dû considérer d'autres propositions, d'ailleurs très alléchantes mais trop extravagantes à ses yeux : des études à l'étranger financées par une organisation internationale, ou encore une inscription dans une école privée de Sanaa, avec des petites filles chic qui se colorent les ongles avec du vernis... Mais étais-je vraiment faite pour ça ? Étais-je vraiment prête à quitter ma famille, et surtout Haïfa ? Non, pas maintenant. Pas encore. C'est donc l'école du quartier voisin de Rawdha que j'ai choisie. Pour qu'on arrête de me regarder avec insistance. Pour qu'on me traite comme les autres. Comme ma petite sœur.

— *Hiiiiiiiiii Nojoud ! Oh, you are sooooooo cute !*

Eh bien, c'est raté pour cette fois ! Au milieu de la cour, une femme aux yeux bleus et aux épaules carrées, un foulard mauve maladroitement posé sur ses cheveux courts, vient de faire son apparition. Entourée d'écolières, elle gesticule dans tous les sens. Elle parle fort, mais les mots qui s'échappent de sa bouche ressemblent à du charabia. Une langue étrangère, sans doute. Elle se croit au zoo ou quoi, celle-là ? Shada m'explique qu'elle travaille pour *Glamour*, un grand magazine féminin américain. Elle a fait le déplacement au Yémen rien que pour moi ! Je vais devoir encore raconter mon histoire. Encore et encore. Et une fois de plus, mon visage se figera au moment des questions personnelles auxquelles il m'est toujours aussi pénible de répondre. Et cette angoisse que j'essaie péniblement d'enterrer resurgira au fond de mon cœur…

Soudain, le carillon de la cloche retentit. Sauvée ! Un bâton dans la main, Najmiya, une des institutrices, nous fait signe de venir nous aligner le long du mur. Je m'empresse d'obéir. Elle nous invite ensuite à nous asseoir derrière l'un des pupitres en bois qui occupent la salle sur deux rangées. Je choisis une place à côté de la fenêtre. Ni tout devant, ni tout derrière. Au troisième rang plus exactement, à côté de deux nouvelles camarades dont je n'ai pas encore retenu les prénoms. Les yeux rivés au tableau noir, je m'efforce de décrypter les lettres que l'institutrice vient de tracer à la craie blanche. « Ra-ma-dan Karim. » *Ramadan Karim* ! « Joyeux Ramadan ! » Comme un puzzle qui se reconstitue, les mots retrouvent leur forme dans ma mémoire. Et les battements de mon cœur reprennent un rythme normal.

Tandis que l'institutrice nous encourage à réciter l'hymne national, mon attention est soudain détournée par le bruit des pages de cahier qui se tournent. Le bruit de l'école. Le vrai bruit de l'école, enfin retrouvé.

Mon esprit s'échappe un instant pour repenser à une histoire que la directrice a racontée, tout à l'heure :

— L'année dernière, une de nos élèves de treize ans a tout d'un coup quitté l'école. Sans donner de raison. Au début, j'ai cru qu'elle allait revenir. Et puis les semaines sont passées, mais on n'a jamais eu aucune nouvelle d'elle. Jusqu'au jour où, il y a quelques mois, j'ai appris que la petite avait été mariée et qu'elle avait eu un bébé. À treize ans !...

Njala Matri s'était assurée de murmurer ces quelques paroles à l'oreille de Shada pour éviter que je l'entende. Cela partait certainement d'une bonne intention. Mais ce qu'elle ignore, c'est ce projet qui a mûri dans ma tête ces dernières semaines. Oui, c'est décidé : quand je serai grande, je serai avocate, comme Shada, pour défendre les autres petites filles comme moi. Si je le peux, je proposerai d'élever l'âge du mariage à dix-huit ans. Ou bien à vingt ans. Ou même à vingt-deux ans ! Il me faudra être forte et persévérante. Je devrai apprendre à ne pas avoir peur de m'adresser aux hommes en les regardant droit dans les yeux. D'ailleurs, il faudra qu'un de ces jours j'aie le courage de dire à *Aba* que je ne suis pas d'accord avec lui quand il dit qu'après tout le Prophète a épousé Aïsha quand elle n'avait que neuf ans. Comme Shada, je porterai des souliers à talons et je ne me couvrirai pas le visage. Le *niqab*, c'est étouffant ! Avant d'en arriver là, il me faudra bien faire mes devoirs. Je devrai m'assurer d'être une bonne élève. Pour pouvoir espérer aller à l'université et étudier le droit. En m'appliquant, j'y arriverai !

Depuis ma fugue au tribunal, les événements se sont enchaînés tellement vite que je ne réalise pas encore tout ce qui m'est arrivé. Ça prendra du temps, sûrement. Du temps et de la patience. D'ailleurs, Shada m'a plusieurs fois proposé d'aller chez un médecin qui, selon elle, pourrait m'aider. Chaque fois, j'ai préféré annuler le rendez-vous à la dernière minute. C'est gênant, non, d'aller chez un médecin qu'on ne connaît pas ? Alors, elle a fini par y renoncer. Au début, c'est vrai, j'étais rongée par la honte. La honte, la peur d'être différente des autres, et la terrible impression d'être inférieure. Je ne pouvais m'empêcher d'éprouver l'étrange sentiment d'avoir été seule face à l'épreuve. D'avoir été la victime anonyme d'une histoire que les autres ne peuvent pas comprendre. Isolée. Exclue. Humiliée.

Mais ces derniers temps, j'ai compris que mon cas n'était pas unique. Des histoires comme la mienne ou celle de l'écolière de treize ans, on en parle peu, mais il y en a plus qu'on ne l'imagine. Il y a quelques semaines, Shada m'a fait rencontrer Arwa et Rym, deux filles qui viennent de demander le divorce, comme moi. Quand je les ai vues pour la première fois, je les ai serrées très fort dans mes bras, comme des sœurs. Leurs récits m'ont bouleversée. À neuf ans, Arwa s'est retrouvée mariée de force par son père à un homme de vingt-cinq ans son aîné. C'est après avoir entendu parler de mon histoire à la télévision qu'elle a décidé, un matin, d'aller se réfugier à l'hôpital le plus proche de chez elle, dans le village de Jibla, au sud de Sanaa. La vie de Rym, douze ans, a basculé après le divorce de ses parents. Par vengeance, son père l'a mariée à un cousin âgé de trente et un ans. Après plusieurs tentatives de suicide, Rym a eu le courage d'aller frapper à la porte du tribunal.

J'étais fière d'apprendre que mon histoire les avait aidées à trouver les moyens de se défendre. Leur misère m'a touchée. Je me sens un peu responsable de leur choix de se révolter contre leurs maris. Si elles sont allées au tribunal, c'est grâce à moi. J'ai eu beaucoup de peine pour elles. En écoutant leurs mésaventures, j'ai vu les miennes se refléter dans un miroir. Je me suis dit : *Khalass* ! – « C'est fini ! » Le mariage, c'est fait pour rendre les filles malheureuses. Je ne me marierai jamais. Plus jamais ! *Machi* ! *Machtich* !

Je repense souvent à l'histoire de Mona. À elle non plus, la vie n'a pas souri. Il y a une semaine, ma grande sœur Jamila a enfin été libérée de prison !

Quand elle est rentrée chez nous, je l'ai serrée dans mes bras. Quelle surprise de la revoir !

Là-bas, elle a dû partager sa cellule avec des criminelles, et même avec des femmes accusées d'avoir tué leur mari ! Mais à la maison, on a évité de parler de ces choses-là. Pour ne pas gâcher les retrouvailles. C'est vrai, pour la première fois depuis longtemps, notre famille est à nouveau au complet. Cependant, après la joie, les disputes ont recommencé, et l'autre jour mes sœurs se sont chamaillées. Pour sauver Jamila, Mona a finalement accepté de signer le fameux papier. Elle ne peut s'empêcher de lui en vouloir. Elle l'accuse d'avoir brisé sa famille. Entre elles, rien ne sera plus jamais comme avant. Mais tout ça, c'est la faute du mari. Parfois, je me dis qu'il faudrait un jour que je parle à Fares et que je lui fasse promettre, s'il se marie, d'être le plus doux des époux.

Un avion passe dans le ciel, laissant derrière lui une longue traînée blanche. Je le regarde grossir au fur et à mesure qu'il poursuit sa trajectoire. Il va sûrement bientôt atterrir à l'aéroport d'à côté. Peut-être qu'il vient de France, ou bien de Bahreïn ?

D'ailleurs, lequel des deux pays se trouve le plus près de nous ? Il faudra que je demande à Shada. Un jour, moi aussi, je m'envolerai dans le ciel et j'irai à l'autre bout du monde. Il paraît qu'on peut mettre dans un avion au moins trois cents personnes. Un voisin qui revenait d'Arabie Saoudite m'a raconté que l'intérieur ressemble à un grand salon, dans lequel on peut lire des magazines tout en commandant des plateaux-repas. Dans l'avion, a-t-il ajouté, tout le monde mange avec des vrais couverts. Comme à la « bizzeria » !

La voix aiguë de l'institutrice finit par m'arracher à mes pensées :

— Qui veut réciter la première sourate du Coran ? demande-t-elle en s'adressant à la classe entière.

Dans un élan d'audace que je n'ai pas eu depuis bien longtemps, je m'empresse de lever la main, très haut, pour que tout le monde me voie. C'est étrange, pour une fois je n'ai pas pris le temps de réfléchir avant de m'élancer. Je ne me suis pas demandé ce qu'*Aba* allait penser, ou ce que les gens pourraient raconter derrière mon dos. Moi, Nojoud, dix ans, j'ai choisi de répondre à une question. Et ce choix ne dépend de personne d'autre.

— Nojoud ? reprend l'institutrice, en dirigeant son regard dans ma direction.

Mon enthousiasme ne lui a pas échappé.

Après une grande respiration, je me décolle de ma chaise en me dressant comme un pic. Je commence à sonder ma mémoire pour y piocher les versets du Coran appris l'an passé :

Au nom d'Allah, le Tout Miséricordieux, le Très Miséricordieux.

Louange à Allah, Seigneur de l'Univers.

Le Tout Miséricordieux, le Très Miséricordieux.
Maître du Jour de la rétribution.

C'est Toi seul que nous adorons, et c'est Toi seul dont nous implorons secours.

Guide-nous dans le droit chemin, le chemin de ceux que Tu as comblés de faveurs, non pas de ceux qui ont encouru Ta colère, ni des égarés.

Un silence solennel a envahi la salle de classe.

— Bravo, Nojoud. Que Dieu te protège ! applaudit l'institutrice, en encourageant les autres élèves à en faire autant.

Puis son regard se dirige vers l'autre bout de la classe, à la recherche d'une nouvelle candidate.

Le sourire aux lèvres, je me rassieds derrière mon pupitre.

En regardant autour de moi, je ne peux m'empêcher de pousser un grand soupir de soulagement. Dans mon uniforme vert et blanc, je ne suis qu'une des cinquante écolières de la classe. Je suis une élève de deuxième année d'école primaire. Je viens de faire ma rentrée des classes comme des milliers d'autres petites Yéménites. En rentrant cet après-midi à la maison, j'aurai des devoirs à faire, des dessins à colorier.

Aujourd'hui, j'ai enfin l'impression d'être redevenue une petite fille. Une petite fille normale. Comme avant. Tout simplement.

Épilogue

Dans sa jolie robe violette, Nojoud distribue des sourires en tenant fermement la main de Shada. Ses gestes sont timides. Mais son regard, lui, est bien résolu.

— Encore une photo ! hurlent les paparazzi.

Ce 10 novembre 2008, la plus jeune divorcée du monde vient de recevoir, à New York, le prix de la Femme de l'année, remis par le magazine féminin américain *Glamour*. Du haut de ses dix ans, elle partage cette consécration inattendue avec la star de cinéma Nicole Kidman, la secrétaire d'État américaine Condoleezza Rice et la sénatrice Hillary Clinton ! C'est beaucoup pour cette petite Yéménite, passée soudainement du statut de victime anonyme à celui d'héroïne des temps modernes, et qui aspire aujourd'hui à retrouver une vie normale. Mais c'est largement mérité.

Nojoud a gagné. Et elle en est fière. Ce qui m'a tout d'abord frappée lors de notre première rencontre, en juin 2008, deux mois après son divorce, c'est justement son assurance[1]. Comme si son incroyable combat l'avait fait grandir d'un coup, en lui volant au passage la belle innocence de l'enfance.

Et quelle maturité quand, à l'autre bout du fil, elle avait pris soin de m'indiquer dans les moindres détails

1. Delphine Minoui, « Nojoud, 10 ans, divorcée au Yémen », *Le Figaro*, 24 juin 2008.

le chemin à suivre pour rejoindre son humble maison, perdue dans le dédale des rues poussiéreuses de Dares, à la périphérie de Sanaa, la capitale du Yémen.

À mon arrivée, elle m'attendait près de la station-service, encombrée de voitures. Elle était drapée d'un voile noir, sa petite sœur Haïfa à ses côtés. « Je serai près du vendeur de sucreries », m'avait-elle prévenue, trahissant la gourmandise des enfants de son âge. Des yeux en forme d'amande, un visage de poupon, un sourire angélique. En apparence, une fillette comme les autres, qui aime les bonbons, qui rêve d'avoir une grosse télévision et qui joue à colin-maillard avec ses frères et sœurs. Mais, au fond de son cœur, une véritable petite dame, grandie par l'épreuve, et qui sourit aujourd'hui en recueillant les « *Mabrouk* ! » (« Félicitations ! ») que les femmes de Sanaa distribuent sur son passage lorsqu'elles la reconnaissent.

« Le divorce de Nojoud a enfoncé une porte close », me confiait dernièrement Husnia al-Kadri, la directrice du département des affaires féminines de l'université de Sanaa, en charge d'une étude récente qui révèle que plus de la moitié des filles yéménites sont mariées avant l'âge de dix-huit ans[1].

Oui, c'est vrai, l'histoire de Nojoud porte un message d'espoir. Dans ce pays de la péninsule arabique, où le mariage des fillettes s'inscrit dans des traditions qui semblaient jusqu'ici irrévocables, cet incroyable acte de bravoure a donné le courage à d'autres petites voix de s'élever contre leurs maris. Depuis son passage au tribunal, deux autres filles, Arwa, neuf ans, et Rym, douze ans, ont entrepris,

1. *Early Marriage in Yemen. A Base Line Story to Combat Early Marriage in Hadramout and Hadeyda Governates*, Sanaa University, 2006. Selon cette étude, les mariages précoces sont la principale cause du manque d'accès à l'éducation chez les filles. Au Yémen, 70 % des femmes sont illettrées.

elles aussi, de se battre pour rompre leurs noces barbares. En Arabie saoudite, une fillette saoudienne de huit ans, mariée par son père à un quinquagénaire, a elle aussi, obtenu le divorce, un an après les mésaventures de Nojoud. Une première dans ce pays voisin du Yémen aux coutumes ultratraditionnelles !

En février 2009, nouvelle percée dans le camps des femmes yéménites : sous la pression des associations locales de défense des droits des femmes, le Parlement a fini par réformer la loi sur le mariage. L'âge légal des noces est désormais élevé à 17 ans, pour les garçons et pour les filles. Le texte législatif impose également le consentement de la future épouse, quel que soit son âge. Et en cas de dérogation à la loi – culture tribale oblige - le contrat de mariage doit être signé par le juge pour être considéré comme légal. Il est également stipulé qu'en cas de divorce, la garde des enfants revient à la mère jusqu'à ce qu'ils aient 12 ans. Enfin, en cas de second mariage, le mari se doit désormais d'en informer sa première épouse. En outre, la polygamie est dorénavant conditionnée à la bonne situation financière de l'époux – une nouvelle règle permettant d'éviter les familles tentaculaires, telles que celle de Nojoud, bien souvent incapables de subvenir aux besoins des enfants. Autant de petites avancées, qui ne sont pas sans efforts, mais qui mettront du temps à bousculer l'ordre établi...

Nojoud ne le réalise peut-être pas encore, mais elle a réellement brisé un tabou. En faisant le tour de la planète, la nouvelle de son divorce, relayée par de nombreux médias internationaux, a permis de mettre fin au silence qui pèse sur une pratique malheureusement très fréquente dans de nombreux autres pays : Afghanistan, Égypte, Inde, Iran, Mali, Pakistan...

Cependant, si elle nous touche tant, c'est aussi parce qu'elle nous renvoie à nous-mêmes. En Occident, il est de bon ton de s'apitoyer instinctivement sur le sort des femmes musulmanes. Pourtant, la pratique des noces précoces et la violence conjugale sont loin d'être propres à l'islam. En France, en Espagne ou encore en Italie, où les récits de nos arrière-grands-mères nous rappellent qu'elles furent, elles aussi, mariées très jeunes, de nombreuses jeunes femmes continuent d'être maltraitées par leurs maris. Rappelons également qu'aux États-Unis le leader d'une secte mormone texane, Warren Jeffs, avait pour habitude de superviser les cérémonies de mariage de jeunes filles âgées de quatorze ans, avant que son organisation ne soit finalement démantelée, en 2008.

Au Yémen, la religion ne constitue qu'un des facteurs qui poussent les pères à marier leurs filles avant la puberté. « La pauvreté, le manque d'éducation et la culture locale entrent également en jeu », rappelle Husnia al-Kadri. Honneur familial, peur de l'adultère, règlements de comptes entre tribus rivales... les raisons avancées par les parents sont nombreuses et variées. Dans les campagnes, ajoute la chercheuse, un proverbe tribal assure même : « Un mariage avec une fille de neuf ans est la garantie d'une heureuse union. »

Le problème, c'est que pour beaucoup de Yéménites les mariages précoces relèvent tristement de la coutume, de la normalité. « Récemment, une fillette yéménite de neuf ans mariée à un homme saoudien est morte trois jours après ses noces. Ses parents auraient dû crier au scandale. Ils se sont au contraire empressés de s'excuser auprès du mari, comme s'il s'agissait d'une marchandise de mauvaise qualité, et lui ont offert, en échange, sa petite sœur de sept ans », me racontait, il y a peu, Nadia al-Saqqaf, la rédactrice en chef du *Yemen Times*. Honorable à nos yeux, la fronde de Nojoud est d'ailleurs considérée par les plus traditionalistes comme un acte scandaleux – punissable, selon les plus extrémistes, par un crime d'honneur.

Après le strass et les paillettes de New York, la réalité du quotidien de notre petite héroïne yéménite est encore loin de ressembler à un parfait conte de fées.

Selon son propre désir, Nojoud est retournée vivre chez ses parents. À la maison, les grands frères voient d'un mauvais œil l'attention internationale suscitée par son divorce. Les voisins, eux, se plaignent des allées et venues des télévisions étrangères. Et parmi les nombreuses personnes qui viennent s'enquérir de son histoire, certaines n'ont pas les meilleures intentions du monde. Comble de l'histoire, l'ex-mari, lui, a été acquitté. La famille de Nojoud a rompu tous ses liens avec lui, et personne ne sait où il se trouve.

Shada elle-même n'est pas à l'abri des menaces. Ses détracteurs l'accusent de diffuser une image négative du Yémen. Pendant ce temps, en province, les ONG s'attachent à sensibiliser les populations rurales aux problèmes liés aux mariages précoces. Ainsi, pour ménager les susceptibilités et mieux réveiller les consciences, l'association Oxfam – de loin la plus impliquée dans ce domaine – doit peser ses mots lorsqu'elle organise ses ateliers de sensibilisation au sud du pays. Au lieu d'évoquer « l'âge légal du mariage », elle préfère parler d'un « âge sécuritaire », en mettant l'accent sur les risques liés aux noces précoces : traumatismes psychologiques, mortalité en couches, abandon de l'école. Mais sa tâche reste difficile. « Plusieurs de nos collègues qui travaillent sur le terrain ont déjà fait l'objet de fatwas prononcées par des cheikhs locaux qui les accusent de ne pas respecter l'islam et de faire la promotion de la décadence occidentale », confie Souha Bashren, l'une des responsables de ce programme. Le chemin vers un avenir plus brillant est encore long et sinueux...

Dans le quartier de Nojoud, les lumières ne brillent pas comme à New York. L'hiver, il fait froid et le chauffage coûte cher. À Sanaa, les longues robes de soirée restent derrière les vitrines. Le matin, il faut aller acheter le pain pour toute la famille. Souvent, le réveil oublie de sonner. Les grands frères roupillent jusqu'à l'heure du déjeuner. Malade et fébrile, le père de Nojoud est toujours au chômage. Sa mère, qui ne sait pas lire, omet de s'occuper des devoirs des plus petits...

En dépit de tous les obstacles, la petite divorcée a repris le chemin de l'école, en compagnie de sa petite sœur Haïfa. À l'heure où nous bouclons cette réédition, elles s'apprêtent toutes les deux à faire leur seconde rentrée dans un nouvel établissement scolaire.

Les droits d'auteur de ce livre, en cours de traduction dans 20 langues étrangères, leur permettent dors et déjà de financer leur éducation et de subvenir aux besoins de la famille : nourriture, loyer, cahiers et vêtements pour les enfants... Plus tard, ils aideront Nojoud à poursuivre, selon son souhait, des études pour devenir avocate et créer une fondation venant en aide aux petites filles en difficultés. Altruiste dans l'âme, elle rêve également de faire construire un toit protecteur pour toute sa famille.

À chacun de mes voyages à Sanaa, elle me demande des crayons de couleur. Accroupie à même le sol du modeste salon familial, elle dessine toujours la même bâtisse multicolore avec plein de fenêtres. Un jour, je lui ai demandé si c'était une maison, une école ou un pensionnat. « C'est la maison du bonheur. Celle des petites filles heureuses », m'a-t-elle répondu avec un grand sourire.

Delphine MINOUI,
septembre 2009.

Table des matières

Crédits photographiques

Merci

Nous tenons à remercier vivement toutes celles et ceux qui nous ont ouvert leur porte et qui nous ont permis de reconstituer l'histoire de Nojoud afin qu'elle serve d'exemple et qu'elle puisse donner le courage à d'autres filles de faire valoir leurs droits.

Nous adressons des remerciements particuliers à Shada Nasser, l'avocate de Nojoud, ainsi qu'aux juges du tribunal de Sanaa, Mohammad el-Ghazi, le juge Abdo et le juge Abdel Waheb.

Un grand merci à toute l'équipe du *Yemen Times*, et particulièrement à sa rédactrice en chef, Nadia Abdulaziz al-Saqqaf et à son ancien journaliste, Hamed Thabet, qui occupe aujourd'hui, à Sanaa, le poste de conseiller politique à l'ambassade d'Allemagne.

Nous sommes infiniment reconnaissantes envers la chercheuse Husnia al-Kadri, qui dirige le département des affaires féminines à l'université de Sanaa et qui nous a aidées à mieux appréhender la question des mariages précoces.

Nos diverses conversations avec l'équipe d'Oxfam, en particulier avec Wameedh Shakir et Souha Bashren ont également été une aide précieuse.

Merci à Njala Matri, la directrice de l'école du quartier Rawdha qui a permis à Nojoud de faire sa rentrée des classes.

Nous tenons à exprimer notre profonde gratitude envers Eman Mashour, sans qui ce livre n'aurait jamais pu voir le jour. Son engagement dans la cause des femmes yéménites, sa patience et ses talents de traductrice nous ont été d'une aide considérable.

Notre reconnaissance n'a pas de limite envers Ellen Knickmeyer qui nous a permis de nous rencontrer.

Un merci du fond du cœur à Borzou Daragahi pour son soutien moral et son enthousiasme envers le projet de ce livre.

Enfin, merci à Hyam Yared, Martine Minoui et Chloé Radiguet qui ont gentiment accepté d'endosser les habits de premières lectrices.

Ce livre est dédié à Arwa, Rym et à toutes les petites Yéménites qui rêvent de liberté.

Delphine MINOUI et Nojoud ALI

9063

Composition
PCA

Achevé d'imprimer en Slovaquie
par NOVOPRINT SLK
le 25 juin 2010.

1er dépôt légal dans la collection : septembre 2009.
EAN 9782290019405

ÉDITIONS J'AI LU
87, quai Panhard-et-Levassor, 75013 Paris

Diffusion France et étranger : Flammarion